PETIT RÉPERTOIRE
ORNITHOLOGIQUE
du Québec

PETIT RÉPERTOIRE
ORNITHOLOGIQUE
du Québec

Jean-Pierre Pratte

PHOTOGRAPHIES : DIANE LABONTÉ

97-B, Montée des Bouleaux, Saint-Constant, Qc, Canada, J5A 1A9
Tél. : (450) 638-3338 / Télécopieur : (450) 638-4338
Site Internet : www.broquet.qc.ca
Courriel : info@broquet.qc.ca

Données de catalogage avant publication (Canada)

Pratte, Jean-Pierre
    Petit répertoire ornithologique du Québec

    Comprend des réf. bibliogr. et un index

    ISBN 2-89000-557-7

    1. Oiseaux - Observation - Sites - Québec (Province)
- Répertoires. 2. Oiseaux - Nomenclature - Histoire.
3. Ornithologie - Ressources Internet. I. Titre.

QL685.5. Q8P72 2002   598'.07'234714   C2002-940642-0

Pour l'aide à la réalisation de son programme éditorial, l'éditeur
remercie :
Le Gouvernement du Canada par l'entremise du Programme d'Aide
au Développement de l'Industrie de l'Édition (PADIÉ);
La Société de Développement des Entreprises Culturelles (SODEC);
L'Association pour l'Exportation du Livre Canadien (AELC).
Le Gouvernement du Québec - Programme de crédit d'impôt pour l'édition
    de livres - Gestion SODEC.

Révision scientifique : Guy Huot
Infographie : Brigit Levesque, Josée Fortin

Copyright © Ottawa 2002
Broquet inc.
Dépôt légal — Bibliothèque nationale du Québec
2ᵉ trimestre 2002
Imprimé au Canada

ISBN 2-89000-555-7

À GRÉGORY

À une époque où le mot « Alzheimer » était inconnu, où Victor Hugo écrivait Les Misérables à plus de soixante ans : et où Graham Bell, vers le même âge, se lançait en « communication ». Donc, il vaut mieux ne pas trop retarder, puisque j'arrive déjà à la soixantaine…

L'ÉQUIPE PAR ORDRE ALPHABÉTIQUE

Belhumeur, Raymond, Saint-Hubert
Bourret, François, Saint-Barnabé-Sud
Gauthier, Yves, Montréal
Grenier, Michel-Pierre, Montréal
Huot, Guy, Danville
Labonté, Diane, Danville
Landry, Jocelyn, Montmagny
Langlais, Gilles, Mirabel
Lefebvre, André, Dubuisson
Lepage, René, Mont-Saint-Hilaire
Ménard, Olivier, Isle Verte
Roy, Laval, Lotbinière

Un merci spécial à M. Guy Huot, précieux collaborateur, sans qui il m'aurait été impossible de mener ce projet à terme. Merci pour tes suggestions, informations, corrections, soutien et encouragements… Merci encore Guy et excuse-moi aussi de t'avoir appelé si souvent à 6 heures du matin.

Un chef sans équipe est habituellement inefficace.

Jean-Pierre Pratte

TABLE DES MATIÈRES

HÉRON VERT

AVANT-PROPOS

Depuis la parution de l'un des premiers livres d'initiation à l'ornithologie écrit en français, au Québec, par un Québécois (le 9 janvier 1981 aux éditions Marcel Broquet), une foule d'écrits ont fait leur apparition sur le marché : livres, revues, chroniques journalistiques, etc.

De cette prolifération « monstre », pas toujours heureuse, il faut retenir une chose, l'engouement de plus en plus prononcé des Québécois pour un passe-temps intarissable, l'ORNITHOLOGIE.

Classée bon deuxième, comme loisir derrière le jardinage, l'observation des oiseaux (*birdwatching*) compte plus de 500,000 adeptes au Québec. De ceux-ci, à peine 6 000 font partie des 32 clubs régionaux que compte le Québec au moment d'écrire ces lignes (le C.L.O.M : Club du Loisir Ornithologique Maskoutain de Saint-Hyacinthe ayant rendu l'âme en avril 2001, faute de bénévoles pour continuer le travail des prédécesseurs). Point n'est besoin d'appartenir à un club pour apprécier les oiseaux dans sa cour… Et c'est ce que font la majorité des Québécois.

L'ornithologie est le hobby des années 2000. C'est la voie de prédilection pour apprécier davantage la nature et le monde qui nous entoure.

Voici donc : le « Petit répertoire ornithologique du Québec ». Écrit par Jean-Pierre Pratte, un passionné, un pionnier, un bâtisseur et un innovateur.

Ce répertoire ne peut que vous enchanter et vous apprendre une foule de choses, des connaissances nouvelles et rafraîchissantes, toutes aussi captivantes les unes que les autres.

BONNE LECTURE
Guy Huot

BÉCASSEAU D'ALASKA

Photo : Diane Labonté

INTRODUCTION

Mai 1972, 5 h. du matin, à Rosemère. Un « popsicle orange » à trouver. Et pince-sans-rire, il ajoute… « si c'est de couleur banane, c'est une femelle ». Comme on dit, j'ai l'impression de perdre mon temps ce matin-là. Tête penchée en arrière, début de torticolis. Après dix minutes, dans un érable à quinze mètres du sol… Bernard ! Je vois quelque chose mais c'est plutôt rouge avec des ailes noires. Mon premier Tangara écarlate, mon premier oiseau de couleur. La frénésie est à la porte.

Près de trente années ont passé depuis ce temps et le plaisir est toujours aussi présent mais plus diversifié. Malheureusement de moins en moins actif sur le terrain. Mais par contre, le nez de plus en plus souvent plongé dans un bouquin ou une revue. Curiosité oblige et en continuelle effervescence. Après plus de quatre années à animer une chronique sur les oiseaux à la radio le samedi matin, après avoir répondu à 2 563 125 ! questions sur les oiseaux et sur de nombreux sujets tels les comportements, les nidifications, les migrations, les espèces, les chants, les sites d'observation des oiseaux, quand et à quelle heure, je me suis amusé à répertorier le tout et à diviser l'ensemble par sujets divers.

Je ne suis pas un érudit mais plutôt un drôle de curieux. Toutes les informations dans ce « Petit Répertoire ornithologique », je les ai accumulées sur le terrain ou encore en jouant les « rats de bibliothèque » dans différents livres et beaucoup sur « Internet ».

D'ailleurs, malgré les longues heures passées sur ce manuscrit, je me suis beaucoup plus amusé que j'ai travaillé (je m'en confesse…mea culpa). J'y ai même mis tellement d'heures que j'ai du matériel en trop. Me voyez-vous venir ? Dommage pour vous, car j'ai l'impression que vous allez encore faire une autre dépense pour un prochain ouvrage.

L'objectif de ce petit répertoire est de vous divertir, peut-être vous faire rire mais surtout vous faire sourire. Je ne voulais rien d'ardu ni de scientifique. Par contre, je suis certain d'éveiller votre curiosité et surtout vous aider à comprendre la passion qui nous anime, Daniel, Diane, Georges, Ginette, Guy, Louise, Pierre, moi et beaucoup d'autres ; qui avons la passion de « l'observation des oiseaux ».

Jean-Pierre Pratte

CODE D'ÉTHIQUE

Source : The Royal Society for the Protection of Birds : RSPB, United-Kingdom. (Traduction libre : Guy Huot)

1 -	La protection des oiseaux doit passer avant toute chose.
2 -	Les habitats des oiseaux doivent être sauvegardés à tout prix.
3 -	Les dérangements occasionnés aux oiseaux et à leurs habitats doivent être réduits au strict minimum.
4 -	Si vous découvrez une espèce rare, choisissez avec précaution ceux à qui vous en parlerez.
5 -	Ne dérangez jamais un oiseaux migrateur d'une espèce considérée comme rare ou menacée.
6 -	Respectez les droits des propriétaires terriens ; toujours demander la permission avant de s'aventurer sur un terrain privé.
7 -	Respectez les droits des autres participants lorsque vous êtes sur le terrain.
8 -	Comportez-vous en tout temps comme vous le feriez chez vous.
9 -	Observez les nids à distance ; interdisez-vous la visite de toute colonie d'oiseaux nicheurs.
10 -	Réduisez au strict minimum les traces de votre passage.
11 -	Déplacez-vous toujours de la façon la plus discrète possible.
12 -	Offrez vos données d'observations aux autorités compétentes.

SAISON PAR SAISON

Solstices et équinoxes n'indiquent pas nécessairement un début de saison pour notre loisir. En ornithologie nous considérons plutôt le début d'une saison avec l'arrivée d'un nouveau mois. Le premier décembre est l'ouverture de la course aux oiseaux d'hiver. Le premier mars le début des migrations printanières, le premier juin nous sommes déjà en plein « été ». Il y a tellement de feuilles aux arbres que les oiseaux sont souvent invisibles. Que dire du premier septembre? Limicoles, rassemblement de passereaux... c'est aussi la saison la plus propice pour la découverte de nouvelles espèces égarées lors des migrations automnales.

Je me suis amusé à construire un petit agenda aviaire mois par mois pour mieux situer certaines activités et faire quelques petites suggestions. De plus pour une question de bon sens « ornithologique », je vais débuter l'année le premier décembre.

DÉCEMBRE

1ière semaine : ouverture de la « Course aux oiseaux d'Hiver ». Cette première fin de semaine doit se concentrer sur les espèces migratrices retardataires.

2ième semaine : retrouver les espèces d'oiseaux signalées par nos confrères, lesquelles auraient échappé à nos recherches pourtant vigilantes.

3ième semaine : comme tout bon observateur consciencieux prend plaisir à participer au « Recensement des Oiseaux de Noël », il est conseillé de visiter notre territoire à l'avance pour savoir ce qui s'y passe.

4ième semaine : effectuer un premier « Recensement des Oiseaux de Noël » et retrouver les espèces signalées par les autres participants.

JANVIER

1ière semaine : partir du bon pied à la recherche de notre emblème aviaire le « Harfang des neiges ». Les grands espaces sont donc à visiter.

2ième semaine : comme cette deuxième semaine est généralement assez froide, pourquoi ne pas en profiter pour visiter les mangeoires de votre quartier et peut-être y faire une découverte.

3ième semaine : semaine idéale pour nettoyer vos mangeoires de fond en comble. Vérifier la qualité de la nourriture offerte aux oiseaux.

4ième semaine : un hiver sans visiter une pinède est une grande négligence. C'est un lieu prédestiné pour les espèces boréales et si la neige tombe abondamment, cette pinède devient un excellent refuge pour celles-ci.

FÉVRIER

1ière semaine : dans les grands espaces, les prédateurs sont de plus en plus présents. Harfangs, Chouettes, Buses perchée sur un arbre dénudé, un piquet de clôture, tout est à surveiller.

2ième semaine : débuts des pariades pour le Grand-duc d'Amérique et la Chouette rayée qui cherchent à former des couples. Pourquoi pas quelques sorties nocturnes au hasard ?

3ième semaine : début des rassemblements pour certaines espèces en vue de leurs migrations. Alouette hausse-col, Bruant des neiges, Bruant lapon se réunissent en bandes de plus en plus nombreuses pour leur prochain départ vers le Nord.

4ième semaine : dernière semaine de la « Course aux Oiseaux d'Hiver » un premier Pluvier kildir sera peut-être à l'avant-garde des futurs migrateurs ?

MARS

1ière semaine : arrivée des premiers migrateurs. Quiscale bronzé, Carouge à épaulettes ou Pluvier kildir, qui sera le premier arrivant.

2ième semaine : les chutes de neiges ne sont pas terminées. L'entretien des mangeoires est primordial, les premiers visiteurs aviaires sont à la porte et la recherche de nourriture est leur principal souci.

3ième semaine : début du passage des premiers rapaces. Les couloirs de migrations sont de plus en plus occupés.

SAVEZ-VOUS QUE....

...le Bécasseau semipalmé peut voler de l'Arctique jusqu'à l'Amérique du Sud sans se reposer.

4ième semaine : canards, bernaches, oies et les eaux libres de glaces sont à surveiller. Plusieurs migrateurs suivent ces garde-manger naturels.

Photo : Diane Labonté

TANGARA VERMILLON

AVRIL

1ière semaine : cette année du nouveau... Pour les amateurs d'oiseaux qui aiment les recevoir dans leur cour pourquoi ne pas ajouter quelques points d'eau ainsi qu'un petit espace avec du sable ?

2ième semaine : les premières grandes vagues migratrices se présentent, plusieurs dates records d'arrivée sont enregistrées ; pourquoi ne pas suivre ce phénomène captivant ?

3ième semaine : arrivée des premières hirondelles mais il est trop tôt pour installer les nichoirs, car ce sont les moineaux qui en profiteront. Il faut attendre encore deux semaines avant que les hirondelles forment des couples.

4ième semaine : les première parulines arrivent. Si la température le permet pendant plusieurs jours, elles arriveront en petits groupes, mais si il pleut pendant près d'une semaine c'est en grosses bandes importantes qu'elles arriveront.

MAI

1ière semaine : début des premières migrations des parulines et des petits passereaux.

2ième semaine : probablement la meilleure semaine pour installer les nichoirs pour l'Hirondelle bicolore, nichoirs que vous aurez d'abord pris la peine de nettoyer et de désinfecter.

3ième semaine : « Le 24 Heures de Mai ». Notez que cette activité se déroule la fin de semaine suivant la fête de Dollard (la date peut varier).

Photo: Diane Labonté

VIRÉO YEUX ROUGES

4ième semaine : du nouveau dans votre cour, un carré de sable d'un mètre carré avec cinq centimètres (2") de profondeur. Les oiseaux adorent prendre des bains de sable et cela leur est d'une grande utilité.

JUIN

1ière semaine : déjà les pariades chez les passereaux, chants, échanges de nourriture, et transport de matériaux.

2ième semaine : il est intéressant de faire un inventaire du quartier pour connaître les espèces nicheuses qui nous voisinent.

3ième semaine : semaine idéale pour le Pluvier siffleur aux Îles de la Madeleine.

4ième semaine : la fête de la Saint-Jean, période idéale pour faire un court voyage de quatre jours et tenter de trouver une nouvelle espèce d'oiseaux endémique.

JUILLET

1ière semaine : long congé de la « Confédération ». Faire un détour par l'Abitibi. La Grue du Canada et le Tétras à queue fine vous y attendent.

2ième semaine : la plupart des oeufs sont éclos, et très tôt le matin les adultes sont actifs, mais furtifs ; la nichée est en appétit et les mâles chassent pour répondre à la demande. Suivez les petits *chip… chip…chip… chip* et vous trouverez aussi la femelle gavant les jeunes au nid.

3ième semaine : les grandes vacances, moment idéal pour partir à la recherche des espèces endémiques. Que de choix : l'Abitibi pour la Grue du Canada, le Bas-du-Fleuve pour l'Eider à tête grise, les Îles de la Madeleine pour la Sterne de Dougall.

4ième semaine : visites de lieux sablonneux. Ici je ne parle pas de berges mais plutôt de sablières, ou de tout autre endroit propice pour admirer les espèces d'oiseaux qui à la fin d'une journée viennent prendre leur bain de sable quotidien. Exercice très populaire pour notre gent ailée.

AOÛT

1ière semaine : 23 heures : magnétophone, lampe de poche, chasse-moustiques ; soyez près d'une pinède ; les Engoulevents bois-pourri y seront.

2ième semaine : cette semaine, faites l'inverse : soyez sur les lieux une heure avant le lever du soleil afin de faire partie du décor et tenter d'observer le Coulicou à bec noir. C'est d'ailleurs l'heure où il y a le plus d'activités.

3ième semaine : les arbres fruitiers sont en pleine production et de plus en plus attrayants pour la faune ailée.

4ième semaine : pour les « cocheux* » surtout… Probablement la meilleure semaine pour aller observer la Sterne de Dougall aux Îles de la Madeleine.

SEPTEMBRE

1ière semaine : notre première semaine d'automne : déroutants les nouveaux plumages de nos parulines ! À découvrir vous aurez l'impression de recommencer à zéro

2ième semaine : la plupart des clubs d'ornithologie reprennent leurs activités : vous devriez vous inscrire à un des clubs et profiter de l'occasion pour en connaître un peu plus sur les secrets des oiseaux.

3ième semaine : de fortes concentrations de limicoles se forment. Pourquoi ne pas visiter les cours d'eaux et les rivages ?

4ième semaine : Sternes, Mouettes et Goélands sont de plus en plus présents pour leurs préparatifs de migration automnale. Belle occasion pour apprendre à les différencier et connaître les divers plumages et les âges de chaque espèce. N'oubliez pas votre guide d'identification.

Note de l'éditeur : *« cocheux » ou « coche » : bien que ce terme ne soit pas reconnu dans la langue française, nous avons cru utile de le laisser puisqu'il est utilisé couramment chez les ornithologues d'ici. Nous en laissons la paternité à l'auteur.

OCTOBRE

1ière semaine : pour votre coin de postes d'alimentation, il est temps d'installer votre point d'eau, que vous aurez pris soin de protéger contre le gel à venir.

2ième semaine : semaine idéale pour trouver les espèces pélagiques. Trois-Pistoles, les Escoumins, Matane, Godbout, Baie-Comeau… partout où les traversiers sont présents et surtout le lendemain d'une tempête. Pourquoi ne pas aller faire une petite balade en traversier ?

3ième semaine : profitez-en pour installer les postes d'alimentation pour la faune aviaire. Avez-vous aussi pensé à leur construire un abri contre les prédateurs et les intempéries ? un ou deux amoncellements de branches font généralement bien l'affaire. Et n'oubliez surtout pas de les protéger contre un éventuel prédateur à quatre pattes.

4ième semaine : de plus en plus de radeaux de canards se forment. À surveiller. Mais vous restez avec le défi de trouver des Fuligules à dos blanc.

NOVEMBRE

1ière semaine : on s'assure que les mangeoires sont bien approvisionnées car beaucoup de jeunes oiseaux ne sont pas encore prêts à migrer et ont un grand besoin d'un apport de nourriture.

2ième semaine : les baisses de température se font de plus en plus sentir et la plupart des feuilles des arbres sont tombées. Pourquoi ne pas répertorier les rapaces encore présents.

3ième semaine : à surveiller aussi : « La Foire de la Faune ailée » de Montréal. Lieu idéal pour l'achat de cadeaux thématiques sur les oiseaux. Surtout que les Fêtes approchent à grand pas.

4ième semaine : préparation de la « Course aux Oiseaux d'Hiver ». Il est conseillé de tenter de repérer les espèces retardataires dans leur migration. Les meilleures sources d'informations sont encore les lignes « Info-oiseaux » et les sites internet. *(voir la section internet à cet effet).*

LES OBSERVATEURS

Considérons d'abord le « statut » des observateurs d'oiseaux, les *Birdwatchers*. Il y en a « de tous poils ». Pardons de toutes plumes.

Voyons ce que dit le *Petit Larousse.* Ornithologie : n.f. (du grec *ovnis, ornithos,* oiseau, et logos, science.) Partie de la zoologie qui étudie les oiseaux. Traité sur les oiseaux. Ornithologiste ou ornithologue : n. m. spécialiste de l'ornithologie.

Et selon le « Petit Jean Pierre » : ornithologiste ou ornithologue : n.m. et f. Observateur d'oiseaux, bagueur d'oiseaux, voyageur pour le plaisir d'observer les oiseaux, artiste-peintre d'oiseaux, sculpteur d'oiseaux, photographe d'oiseaux, collectionneur de chants d'oiseaux, collectionneur de timbres-poste sur les oiseaux etc.

Bref, celui qui aime les oiseaux, qu'importe la façon…

Comme vous pouvez le constater, on peut s'intéresser aux oiseaux de mille et une façons. Avec le temps on peut être intéressé à connaître les variétés d'arbres, surtout si l'on vous signale un oiseau qui fréquente des Peupliers de Lombardie ou encore la présence d'un Solitaire de Townsend se nourrissant du fruit du Nerprun. Dû à la grosseur de l'arbre, c'est souvent plus facile de trouver l'arbre et ensuite l'oiseau. Ne vous en faites pas : cela vient avec le temps et même parfois accidentellement. Pour les insectes, c'est la même chose ; on apprend vite à faire la différence entre un maringouin et une libellule, une coccinelle et un papillon. En résumé cela veut plutôt dire qu'en faisant de l'observation d'oiseaux, vous augmentez vos connaissances et aiguisez votre curiosité. De plus, votre sens de l'observation s'améliorera et votre capacité de mémoire aussi. Et, bien mieux : les marais deviennent des milieux humides à protéger. Certaines constructions se transforment en destruction de milieux écologiques… Pardon, je m'éloigne.

Pour continuer sur le statut des observateurs d'oiseaux, je me suis amusé à les cataloguer d'une façon humoristique. Chose certaine, plusieurs observateurs vont s'identifier eux-mêmes ou seront identifiés par leur entourage, très aisément.

Cette manière de faire n'est pas nouvelle : elle a déjà été abordée entre autre par M. Claude Simard dans la revue Franc-Nord, hors série n° 2, 1988. Mais comme la liste des oiseaux est ajustée régulièrement, pourquoi ne pas en faire autant avec les observateurs.

L'OBSERVATEUR PASSIONNÉ

Scientifique... ce titre me laisse songeur. Faut-il vraiment posséder un diplôme pour avoir droit à ce titre, de scientifique ? Je ne crois pas. Certaines personnes ont beaucoup apporté à l'observation des oiseaux au Québec sans posséder nécessairement de « diplôme en ornithologie ». Et croyez-moi, ils ont fait un travail énorme. Travaux exécutés méticuleusement et rigoureusement. Certains y ont consacré plusieurs années de leur vie par amour et passion des oiseaux. À mes débuts, en 1972, le seul guide d'identification disponible était le *Guide d'identification de Peterson* et en anglais. Aucun livre contenant des trajets ne se trouvait sur le marché. Que de chemin parcouru depuis.

LITTÉRATURE

Phase 1 : le tout débute avec la traduction de guides déjà existants et le beau risque que prennent les éditeurs.

Phase 2 : publication de *l'observation des oiseaux,* 1ère édition de Guy Huot, Editions Marcel Broquet.

Phase 3 : le premier livre de trajets par M. Normand David suivi d'un autre livre de M.Pierre Bannon.

Phases 4,5,6,...etc. Maintenant de nombreux livres existent et sur divers sujets ; Trajets, identifications, études diverses, initiation, et même sur les nichoirs et mangeoires tout en passant par l'aménagement de nos jardins pour les oiseaux.

ÉTUDES

Début des premières compilations par É.P.O.Q. suivi de divers études sur certaines espèces d'oiseaux menacées. Par exemple, sur le Râle jaune par Michel Robert, sur le Pygargue à tête blanche par Pierre Fradette...

Inventaires de territoires sur la faune aviaire. Par exemple, Georges Lachaîne pour Laval ou encore le fameux défi des 30 kilomètres par Laval Roy.

ASSOCIATIONS

Des deux clubs d'ornithologie en 1972, on est passé à plus d'une trentaine actuellement. Sans parler des réseaux « Info-oiseaux ». À noter que toutes ces associations sont à but non-lucratif. Et tout ceci grâce à la générosité de certaines personnes, soit par le temps qu'ils y ont consacré et souvent par l'argent personnel investi.

Note no 1 : pour un répertoire à suivre, il y aura une section : « Qui a fait quoi ». Si vous voulez faire connaître une personne ayant joué un rôle déterminant dans votre région, vous pouvez nous faire parvenir vos suggestions par courriel à : **lerepertoire@hotmail.com**

Note no 2 : dans le répertoire présent une liste de personnages illustres en ornithologie et dont un oiseau porte le nom est inclus.

L'OBSERVATEUR ET SON TERRITOIRE

CÔTÉ COUR

Ces gens sont plutôt fascinés par le milieu qu'ils habitent et ce sont de vrais experts. On n'a qu'à penser à M. Raymond Belhumeur qui a comme espace d'observation sa cour à Saint-Hubert ou encore à M. Georges Lachaîne, l'expert de Laval. Il y a encore Suzanne ma copine qui habite au deuxième étage d'un duplex et qui en est rendu à l'observation de 27 espèces en 3 ans, sur son balcon !

Raymond a débuté dans sa cour en 1978. Cour de 15 mètres par 36 mètres à Saint-Hubert, en milieu urbain. Après 23 ans d'aménagement et d'entretien continuel, de patience et d'imagination, il en est rendu à 137 espèces d'oiseaux observées dans sa cour !!! Son secret : plus d'une trentaine d'essences différentes d'arbres, incluant 12 espèces de conifères, 5 postes d'alimentation, 3 points d'eau pour l'été et 1 pour l'hiver, où l'eau ne gèle pas. Il a même assisté à la formation de couples dans sa cour : une vraie agence de rencontres pour oiseaux cette cour. Un peu plus et il pourrait faire l'arbre généalogique de certaines espèces qui l'ont adoptées. En particulier, celui de Pénélope, sa femelle de Moqueur polyglotte, qui fréquente son eden depuis 3 ans.

Il y a aussi cette dame qui observe pour la première fois un Cardinal rouge à sa mangeoire. Plusieurs belles découvertes à venir pour elle. Pour débuter, cet oiseau est furtif. Le mâle et la femelle sont de couleurs différentes. De plus, il est très territorial. Il n'endure pas d'autres congénères. La preuve est qu'il lui arrive de se chamailler avec son image reflétée par une fenêtre. Il niche dans sa haie de Thuya. Les jeunes ressemblent à la mère et ils quittent le territoire assez tôt… avant l'hiver. Cette autre personne qui a des Mésanges à tête noire à ses mangeoires. Première observation : elles se tiennent en une petite bande de 7 ou 8 individus, donc plus sociables que les cardinaux. De plus, elles se nourrissent de façon hiérarchique, toujours dans le même ordre d'individus. Souvent une Sittelle à poitrine blanche les accompagne et même un Pic mineur se présente en même temps… elles sont vraiment sociables ces mésanges.

Il y a aussi ceux qui se spécialisent dans les nichoirs dans leur cour. Tous les ans certains attendent avec impatience le retour des hirondelles. Pour d'autres, ce sont les merles qui les fascinent ou encore les moucherolles. Certains ont même réussi à convaincre un oriole de nicher dans leur cour soit en y déposant des matériaux appropriés tout près ou encore en accrochant des tranches de fruits sur un arbre. Comme expert, difficile de trouver mieux. Et oui, l'observation dans sa cour ça se peut. Pas toujours besoin d'aller loin pour apprendre et se découvrir une passion.

CÔTÉ PARC

Les parcs nous réservent parfois de grandes surprises. En adopter un, c'est se créer un paradis… que de secrets ils contiennent. Qu'ils soient riverains, linéaires ou autres, il y a de la vie. C'est vrai qu'entre un parc provincial et un parc municipal, il peut aussi y avoir toute une différence de surface. Mais un simple parc municipal peut satisfaire votre curiosité.

Le parc municipal. Il est généralement facile d'accès et bien entretenu mais pas toujours de façon écologique ; à preuve les chicots sont souvent abattus trop tôt et inutilement. L'observateur d'oiseaux qui se spécialise dans l'activité aviaire d'un parc apprend beaucoup de choses. Il découvre les espèces d'oiseaux qui sont simplement de passage et celles qui y habitent, il reconnaît facilement leurs différents chants, leurs lieux secrets de nidification, les matériaux qu'ils utilisent, eurs nourriture préférée, leurs comportements, les dates de migrations etc.

Et l'hiver il découvre de nouvelles espèces, généralement nordiques et souvent sociables et complaisantes avec l'observateur. Autre avantage durant l'hiver : comme il n'y a plus de feuilles dans les arbres, les oiseaux sont plus visibles et à l'occasion, il est aussi plus aisé d'y observer un rapace perché.

Le parc provincial. Lieu privilégié, mais plus difficile d'accès et souvent éloigné : parfois certaines zones du parc ne sont pas accessibles au public. Souvent il faut aussi cohabiter avec le chasseur saisonnier. Par contre la faune aviaire y est beaucoup plus diversifiée et populeuse. D'un parc à l'autre, la flore et les essences dominantes sont différentes. Le climat joue aussi un grand rôle dans l'évolution de cette faune et de cette flore. La témérité et la curiosité sont les principales qualités qu'il faut posséder, ainsi qu'un amour inconditionnel envers la nature. Autre avantage : souvent de gros mammifères habitent les parcs. On n'a qu'a penser au Parc des Laurentides, au Parc de la Mauricie ou plus près de la ville, le Parc des Iles-de-Boucherville. Chaque parc à aussi sa spécialité ; par exemple, dans celui de la Maurice, ce sont les Mésangeais du Canada ; celui de Boucherville est surtout populaire l'automne et l'hiver grâce aux hiboux qui fréquentent l'endroit, tandis que celui du Mont-Tremblant abrite de nombreux Tétras du Canada. L'observateur pour qui le nombre d'espèces différentes d'oiseaux est important et viscéral doit souvent se déplacer assez loin.

En résumé, le parc municipal vous permet d'en savoir un peu plus sur certains oiseaux, tandis que le parc provincial vous offre une plus grande diversité de cette faune aviaire.

LE CONTEMPLATIF ET LE « COCHEUX* »

Deux espèces d'observateurs, complètement différents et diamétralement opposés. Leurs raisons et façons de faire sont discutables et peuvent parfois agacer… Des antipodes.

LE COMPORTEMENT

Le contemplatif sait apprécier la beauté de l'oiseau et se laisse facilement enjôler par un simple mouvement folâtre du sujet.

Le « cocheux » est celui pour qui le mouvement est aussi la différence qu'ont pour se nourrir le Bécassin à long bec et le Bécassin roux, (ce dernier d'ailleurs sonde plutôt le sol à la façon d'une machine à coudre pour trouver sa pitance).

SAVEZ-VOUS QUE....

...l'oeuf le plus gros est celui de l'Autruche d'Afrique (le contenu est d'un litre). L'oeuf le plus petit est celui de certains colibris qui est de mille fois plus petit.

---

*Voir note de l'éditeur, page 17.

LE CHANT

Le contemplatif s'extasie facilement par le chant mélodieux d'un oiseau. Ce chant le fascine toujours et le fait rêver.

Le « cocheux » confirme toujours par le chant, l'identification d'un Moucherolle des aulnes et / ou celui d'un Moucherolle des saules.

LE VOYAGE

Le contemplatif laisse aller son imagination et admire le vol d'un rapace qui scrute et surveille son territoire… ha !… les grands espaces… la liberté… les voyages.

Le « cocheux » part d'urgence pour Forillon, Gaspésie. Des Cygnes chanteurs sont présentement sur place. (Une occasion unique à ne pas rater !).

MIGRATION

Le contemplatif envie ses amis les oiseaux qui vont bientôt partir pour des cieux plus cléments. Les parulines au Costa-Rica, les buses au Mexique, les aigrettes et hérons pour la Floride.

Le « cocheux » espère pouvoir observer des espèces rares durant la saison de migration et se tient pas trop loin du téléphone.

HIVER

Le contemplatif attend avec impatience ses nouveaux visiteurs saisonniers et prépare ses mangeoires.

Le « cocheux » prie pour un hiver clément et se souhaite de nouvelles espèces, mais près de la maison cette fois.

AVANTAGES

Le contemplatif apprend à vivre en harmonie avec la nature.

Le « cocheux » sait que Saint-Gédéon est situé au Lac Saint-Jean et Barraute en Abitibi.

AUTRES AVANTAGES

Le contemplatif connaît des « Jardins Secrets » et plusieurs « Secrets d'oiseaux ».

Le « cocheux » connaît très bien sa géographie et où sont les meilleurs trajets de migrations ainsi que les heures idéales pour l'observation.

QUALITÉS

Le contemplatif aime le contact avec la nature. Il prend le temps de lire cette nature, il aime ses odeurs et ses couleurs.

Le « cocheux » aime le premier contact avec une nouvelle espèce, surtout s'il n'a pas besoin de la chercher parce qu'un autre « cocheux » est déjà sur place et que l'oiseau est dans sa lunette d'approche.

DÉFAUTS

Le contemplatif est généralement le retardataire du groupe et la hantise de l'animateur.

Le « cocheux » ne prend pas toujours le temps de bien identifier le sujet. Il se fie trop souvent sur les autres « cocheux » sur place.

CONSEILS

Le contemplatif devrait prendre l'habitude de faire de l'observation d'oiseaux en solitaire pour ne pas nuire au groupe.

Le « cocheux » peut jouer avec sa crédibilité ; il est donc toujours préférable pour lui, d'avoir un partenaire comme témoin.

PRIÈRES

Le contemplatif : merci Seigneur pour ces choses merveilleuses de la nature et donnez-moi la santé ainsi qu'à cette faune aviaire pour vivre en harmonie dans cette félicité.

Le « cocheux » : Seigneur protègez-moi des intempéries, car demain je dois encore prendre la route pour « cocher » une nouvelle espèce.

SOUHAITS ET VOEUX

Le contemplatif rêve d'une sérénade qui lui serait offerte par ses amis « les oiseaux » et dont il serait le seul auditeur.

Le « cocheux » rêve d'atteindre ses 300 « coches » pour cette saison et même quelques-unes en surplus pour plus d'assurance.

ÉPILOGUES

Le contemplatif est heureux, vit en harmonie et apprécie chaque instant passé avec cette faune aviaire pleine de secrets à découvrir.

Le « cocheux » est heureux d'atteindre son objectif et est fier de sa témérité. Grâce à une bonne voiture et un bon plan de travail, il connaît le succès recherché…

LE TOURISTE

Les « cocheux ». Comme des « queues de veaux », ils sont toujours partis… Forillon, Saint-Gédéon, Lachute… tout dépend de l'oiseau… de la nouvelle espèce, l'espèce rare. Certaines villes auraient même intérêt à se rapprocher des clubs d'ornithologie. On a qu'à penser aux espèces endémiques telles que les Grues du Canada de Barraute ou encore les Dindons Sauvages d'Hemmingford en passant par les Parulines azurées de Phillisburg. Combien d'observateurs-voyageurs pensez-vous que ces espèces endémiques peuvent attirer par année ?… Ce serait surprenant d'en faire le décompte et savoir d'où viennent ces touristes…

Les pèlerins. Une année, ils vont faire de l'observation d'oiseaux dans le Bas-du-Fleuve, jusqu'à Matane, puis prennent le traversier et reviennent par la Côte-Nord. L'année suivante, ils seront en Abitibi pour la Grue du Canada et le Tétras à queue fine et, pourquoi pas, une fin de semaine au Mont-Mégantic pour la Grive de Bicknell.

Une petite anecdote : en décembre 1999 et janvier 2000, un Oriole masqué a séjourné plus d'un mois dans la Matapédia, en Gaspésie. Des membres du club régional lui ont même laissé des vivres et de l'eau pour agrémenter son séjour et aider à sa survie.

Avez-vous une idée du montant d'argent injecté dans la région uniquement par cette présence ? Et bien plus de 250 personnes sont allées voir cet oiseau ; même que certains visiteurs venaient des États-Unis pour avoir enfin le loisir d'observer cet oiseau rare. Chaque visiteur devait prendre ses repas dans la région, disons pour les trois repas, un total de 30.00 $; de plus il devait passer la nuit dans la région avant de s'en retourner : coût moyen 50.00 $. Et il fallait refaire le plein d'essence avant de repartir : disons 40.00 $. Ce qui faisait environ 120.00 $ par personne. Le tout multiplié par les 250 touristes, soit un total de 30,000.00 $ injectés dans la communauté. Et bien maintenant ajoutez les repas pris sur la route et les autres frais d'essence pour le voyage et vous atteindrez facilement les 100,000 $ pour à peu près 20 grammes de plumes! Mais quelles plumes et que de plaisirs.

Le grand départ pour le Costa-Rica a lieu généralement au mois de février. Surtout réservé aux vrais mordus. Il y a aussi le Texas et la Californie qui attirent les observateurs. D'autres, plus fortunés, s'offrent l'Australie et la Nouvelles-Zélande comme voyage d'ornithologie. Il y en a pour tous les goûts et des infrastructures existent pour ce genre de tourisme écologique.

Les visiteurs. De plus en plus nous en recevons mais à plus petite échelle, car le Québec n'a pas d'infrastructure particulière, pour cette catégorie de touristes. À tous les ans des touristes arrivent ici avec une liste d'oiseaux particuliers qu'ils aimeraient observer. Généralement ils viennent passer de 4 à 10 jours pour observer ces oiseaux

TROGLODYTE DES MARAIS

Photo: Diane Labonté

qu'on ne retrouvent généralement qu'au Québec et de façon assez aisée. Exemple : le Harfang des neiges, le Bruant lapon, le Bruant des neiges, le Pic à dos noir, le Jaseur boréal, et combien d'autres espèces nous sont endémiques. Il existe d'ailleurs il y a un site internet à cet effet : il s'agit d'un échange de guides locaux et internationaux. De plus c'est gratuit. Avant de partir, une petite visite s'impose ; < http://birdingpal.coq/>. Et peut-être pourriez-vous même vous improviser guide, juste pour le plaisir de la chose. En consultant la section réservée à l'internet, vous y trouvez aussi quelques bonnes adresses. Je suis certain que le goût du voyage vous prendra.

LES ARTISTES

Il y a trois grandes catégories d'artistes animaliers : les peintres, les sculpteurs et les derniers arrivés, les photographes. Trois arts tout à fait différents, mais animés par une même passion… les oiseaux.

Les artistes-peintres. Ce sont les plus connus de nos artistes. Le tout débute avec l'identification des espèces et comme la photo n'existait pas autrefois… Les plus célèbres sont probablement John

Sculpture: Michel Paradis - Photo: Mari Hill Harpur

——— **Petits Chevaliers** ———

James Audubon et Alexandre Wilson qui ont dessiné plusieurs centaines d'espèces pour mieux les identifier. C'était à l'époque, la seule façon de faire pour immortaliser ces oiseaux. D'ailleurs maintes erreurs se sont glissées sur ces premières planches. Souvent des oiseaux recueillis dans la nature servaient de modèles et les moyens de conservation étaient assez rudimentaires. La naturalisation des sujets était plutôt déficiente et très temporaire. Aujourd'hui ce sont des oeuvres d'art qui sont peintes et elles ne sont pas à la portée de toutes les bourses. Plusieurs sont d'un naturel déconcertant car ce n'est pas seulement le sujet qui est représenté mais tout leur environnement. Prenons en exemple. Les « Bernache du Canada » de Clodin Roy, que l'on les voit dans leur milieu naturel ; les mâles font le guet et les femelles se reposent. On est au début du printemps, les glaces fondent et semblent se déplacer.

Quant au « Faucon pèlerin » de Ghislain Caron, c'est un superbe individu perché sur la corniche d'une falaise, son habitat préféré d'ailleurs. Il est à l'affût d'une quelconque proie éventuelle. Ghislain a aussi peint des planches pour un guide d'identification des oiseaux du Québec et des Maritimes aux éditions Michel Quintin. Cette fois il a plutôt mis l'accent sur les traits caractéristiques de l'espèce pour mieux aider à l'identification de l'oiseau et tout cela sans changer la précision des couleurs de plumage et le profil de l'oiseau... Quel tour de force et quel talent !

Sculpteurs d'oiseaux. On pourrait penser que cet art est nouveau, mais en fait il y a très longtemps que la sculpture d'oiseaux existe. Le tout débute avec la sculpture d'appelants pour la chasse. Durant les longues soirées d'hiver d'antan, pas de télé, pas de radio, certains s'occupent en « gossant du bois » comme disait mon grand-père. Au printemps il y a même des compétitions de sculptures d'appelants. Des acheteurs font la queue pour s'en procurer. Faute de talent pour la sculpture, au moins ils peuvent se procurer des leurres à des prix raisonnables pour leurs futures chasses. Notons que ce marché existe encore : mais maintenant ce sont plutôt des appelants usinés qui sont utilisés comme leurres. Parmi ces sculptures, certaines pièces sont décoratives, donc trop précieuses pour l'utilisation à la chasse. La plupart des pièces représentent la sauvagine. Par contre, depuis près d'une vingtaine d'années, différentes espèces d'oiseaux commencent à être représentées. Lors d'omniums ou de compétitions de sculptures, c'est encore la sauvagine qui est en vedette et qui reçoit les plus grosses bourses. Par contre les sculptures de passereaux, rapaces et autres s'imposent de plus en plus. Petit secret : souvent une sculpture est faite par deux artistes de disciplines différentes, un sculpteur et un peintre… C'est d'ailleurs toute une polémique au sein de la confrérie des sculpteurs. À peine 20 % de ces oeuvres sont faites par un même artiste. Il y a des sculpteurs renommés pour leur art, mais il y a aussi des peintres de sculptures d'oiseaux moins connus mais très… très sollicités. Ce sont donc deux arts différents et seulement une minorité de sculpteurs pratique les deux. La précision de ces oeuvres est souvent impressionnante. Par exemple, lors d'un omnium de sculpture où j'étais membre du jury, le gagnant fut déterminé par le nombre de plumes dans la queue de son sujet plutôt que par la précision des couleurs.

Petit fait cocasse, il arrive souvent qu'un visiteur s'approche d'une pièce et souffle pour savoir si ce sont des plumes collées sur la sculpture ; en réalité c'est à s'y méprendre… Ce sont de vraies œuvres d'art.

Pour le plaisir des yeux je vous invite à visiter quelques sites internet qui vous sont suggérés dans la section appropriée de ce répertoire.

Les photographes. Les derniers arrivés ; et comme ils sont plus nombreux que les peintres et les sculpteurs réunis, ils sont donc plus visibles. Pour certains

Sculpture : Michel Paradis - Photo : Mari Hill Harpur

Canards Colverts

photographes le code d'éthique est très important, même que certains vont se priver d'un bon cliché pour le bien-être de l'oiseau.

Un bon équipement, un peu de chance, de la collaboration de la part du sujet et un peu d'énergie pour appuyer sur le déclencheur et hop... en voilà un qui se prend pour un vrai photographe, ce qui n'est pas toujours la vérité. Les vrais professionnels ne sont pas légion mais il y en a ; dans Québec-Oiseaux de Juin 2000, Michel Masse présente des photos qui méritent un coup d'oeil. Pour ma part, je me rappelle un voyage à l'Isle Verte avec lui et là j'ai découvert le monde de la photo. Des photos de limicoles, j'en ai vu, mais comme celles que j'allais voir... jamais. À marée haute, couché à plat ventre dans la vase, il attend que l'oiseau s'approche pour LA PHOTO... échec. Trois jours plus tard, après trois bains de boue il les a eues ses photos.... et quelles photos ! Et si je vous parlais de François Bourguignon, qui désire une photo de l'oriole de Baltimore. Laval, 4 heures du matin, accroupi dans une toute petite tente camouflée de branches; des morceaux d'oranges pendent dans les branches à moins d'un mètre du sol. Là j'ai compris que ce n'était pas le ventre et le dessous de la queue de l'oiseau qu'il voulait photographier, mais l'oiseau... « AU COMPLET ».

De vrais photographes, il y en a mais il faut savoir les distinguer des « Rambo ». Bien sûr, il y a aussi le coup de chance, comme la photo de la page couverture, mais encore faut-il savoir s'approcher de l'oiseau sans l'effaroucher pour autant. De plus il est recommandé de bien connaître son équipement dans ce cas et surtout le sujet, car au bruit du premier déclic l'oiseau est déjà parti. Du vrai travail d'équipe: Guy avec les jumelles cherche et trouve l'oiseau; Diane la responsable de la photo qui élabore le plan d'approche, et l'oiseau qui semble vouloir collaborer.

Chasseurs d'images passionnés, Daniel, Diane, François, Ginette, Michel, Suzanne et combien d'autres, qui sont vraiment des artistes et des amoureux de la nature. La photo d'oiseaux ce n'est pas toujours facile, c'est même le sujet le plus difficile à immortaliser sur la pellicule, et en plus ça bouge tout le temps ou presque. C'est véritablement un art.

SAVEZ-VOUS QUE....

... pour certaines espèces de colibris la couvaison la plus brève est seulement de huit jours. (par contre la couvaison de notre Colibri à gorge rubis est de seize jours). Et la couvaison la plus longue est celle de l'Albatros royal qui nécessite quatre-vingt-dix jours.

LES COLLECTIONNEURS

Loisir pour compulsifs : timbres-poste, enregistrements de chants, sculptures, peintures, photos, livres, gadgets… tout se collectionne.

La philatélie. Probablement la plus populaire et la moins dispendieuse des collections à monter. Par espèces d'oiseaux, par pays ou encore par continents, à votre choix. Il y a plusieurs avantages à pratiquer ce loisir. Pour débuter, il y a la découverte de certaines espèces, surtout endémiques. On apprend aussi rapidement les nomenclatures françaises, anglaises, latines et autres, ainsi que leurs classifications. Comme étude de la géographie, c'est une façon agréable. L'histoire des pays y est souvent révélée ; exemple, le Ceylan qui change de nom pour le Sri Lanka, ou encore le Cambodge qui fini par devenir le Kampuchéa, du moins pour un temps. L'histoire et la politique moderne y sont aussi présentes ; récemment le Kosovo a émis un timbre d'oiseau ; Quant la Biélorussie est maintenant représentée par un timbre aviaire. Les embargos internationaux se font même sentir. Par exemple, il est assez difficile de se procurer des timbres-poste de Cuba ; de plus, ils peuvent être coûteux à l'achat. De petits états indépendants mettent aussi en circulation des timbres-poste mais comme les principales puissances mondiales ne les reconnaissent pas nécessairement et bien ces timbres ne sont pas toujours inscrits dans les principaux catalogues. Par exemple : Manama, Aden, Palestine… Très instructif et intéressant la philatélie : plus de 2,500 espèces d'oiseaux y sont représentées pour plus de 225 pays ou états.

Les chants d'oiseaux. Autre forme de collection mais moins connue.

Photo : Diane Labonté

TANGARA ÉCARLATE

Beaucoup d'adeptes s'y intéressent et avec l'arrivée de l'internet, cela devient de plus en plus facile. Surprenant ce que l'on peut y découvrir : quasiment tous les chants des diverses espèces d'oiseaux y sont disponibles.

Les livres. Surtout les anciens, c'est-à-dire les premières éditions, celles d'avant l'arrivée des fameux Peterson's de Roger Tory Peterson qui ont révolutionné le monde des guides d'identification (pour ma part, ce sont encore les meilleurs guides). Idéal pour bien suivre l'évolution de l'ornithologie. Que de chemins parcourus depuis. Chez certains de ces bibliophiles, il y en a même qui se spécialisent, soit par pays ou par espèces d'oiseaux. Pour d'autres ce sont seulement les guides de trajets qui les passionnent, et toutes les fois qu'un nouveau guide du genre est mis sur le marché, ils se font un devoir de se le procurer et trajet par trajet, ils en font un pèlerinage.

Les épinglettes. Un chapeau de 100 grammes et 2 kilos de « pines » et macarons ou encore une veste avec laquelle il vaut mieux ne pas tomber à l'eau… Il y en a pour tous les goûts. Des épinglettes.

Les arts : sculptures, peintures et photos, que de belles images. Par contre, pour ce genre de collections, il y a deux handicaps majeurs : premièrement, ce n'est pas à la portée de toutes les bourses et deuxième handicap… l'espace.

Les bricoles. Et oui même pour ça aussi il y a des amateurs. Dessus de table, petits coussins pour le salon, agendas aviaires, ouvre-lettres avec un Harfang, assiettes peintes, cartables scolaires pour enfants et même foulards, tuques… en passant par les chandails et chemises… il y en a pour tous les goûts.

RESTREINTS DANS VOS ACTIVITÉS?

Laissez-moi vous raconter une anecdote : fin mai 1998, au Cimetière du Mont-Royal, 6 heures 30, jumelles au cou je cherche une Paruline avec un drôle de chant… j'en ai mal au cou et en plus elle bouge toujours ; un observateur arrive et me dit « une Paruline à gorge noire »… tiens il y a aussi une « croupion jaune » qui arrive, ajoute-t-il, ça bouge ce matin. Je lui jette négligemment un coup d'oeil et remarque qu'il n'a même pas de jumelles avec lui. Attention il y a un grimpereau brun derrière l'arbre. Incrédule, je jette quand même un coup d'oeil avec mes super Zeiss ; je reviens pour le remercier, mais il est déjà parti. Je le vois avec sa canne blanche à plus de 20 mètres se diriger tranquillement vers un autre endroit, handicapé par sa vue, chose certaine, mais drôlement avantagé par son ouïe. Quelle belle leçon.

Nous pourrions aussi parler de cette dame pour qui c'est le contraire ; Les parulines, elle ne les entend pas ; ni les viréos ni les mésanges. Par contre, concernant les limicoles… ouf… S'il y a un Bécasseau d'Alaska parmi 2,427,118 Bécasseaux semipalmés, c'est certain qu'elle va le trouver et impossible de lui passer une Barge Hudsonienne pour une Barge marbrée ; et pour l'identification des

Photo : Diane Labonté

CANARD SIFFLEUR

rapaces, il n'y a plus de secret. Et encore, angle Langelier et Gouin, Montréal, 8ième étage et restreinte dans ses déplacements, madame de son balcon, surveille tous les jours les allées et venues de certains oiseaux. Comme beaucoup de gens, elle a débuté avec la rencontre des pigeons, étourneaux, moineaux et goélands. Un jour elle s'aperçoit qu'un goéland est plus foncé que les autres. Est-ce un mâle ou une femelle ? Elle consulte son National Geographic et identifie un Goéland marin. Maintenant, elle surveille le passage des rapaces, connaît les dates d'arrivée des hérons, bihoreaux et sait faire la différence entre une corneille et un corbeau. Pour son 80ième anniversaire elle aimerait bien pouvoir identifier sa 60ième espèce… et ce, toujours à partir de son balcon !

La majorité des Parcs municipaux ont des infrastructures pour les fauteuils roulants, certains clubs d'ornithologie ont même des animateurs bénévoles disponibles, et sur semaine en plus. Votre vue fait défaut : d'excellents enregistrements de chants d'oiseaux existent, que ce soit en anglais ou en français, et très faciles à trouver. En résumé il y en a pour tous les goûts et toutes les bourses, Cap-Tourmente, Baie-du-Febvre, Bois-Belle-Rivière et plusieurs autres endroits se font un plaisir de vous accueillir. Et si par malheur il n'y a pas d'oiseaux ce jour de sortie, profitez-en pour aller sentir de près un érable ou un chêne et je suis certain que si vous passez près d'un conifère vous vous en apercevrez facilement.

Toc toc toc toc toc toc, ça c'est un Pic mineur. *chikiidi chikiidi chikiidi* tiens une Mésange à tête noire, *toc, toc, toc, toc… toc, toc, toc, toc…* un grand Pic, *zzz…* ça c'est un maringouin, *ZZZZ…* peut-être un taon ? Et cette senteur ? Une moufette. Et du haut d'un arbre…*were are you were I am… were are you were I am…* et bien c'est un Viréo aux yeux rouges… *piou ou oui, piou ou oui, piou ou oui,* ça ? Un Pioui de l'Est. La majorité des chants se traduisent assez facilement par onomatopées ; vous devriez voir et entendre celles réservées aux parulines… et en plus impossible de faire des fautes d'orthographe ; pour une fois vous pouvez l'écrire comme vous l'entendez. Mais attention il y a souvent matière à discussions : peut-être que votre voisin l'entend différemment. De toute façon, il existe d' excellents guides sur le sujet.

ESPÈCES VULNÉRABLES

Ce sont des espèces dont le nombre d'individus est très faible et qui nichent d'une façon régulière au Québec. Par contre elles sont exposées à devenir « espèces menacées » et leurs aires de reproduction se trouvent très limitées.

- GRÈBE ESCLAVON, *Podiceps auritus*
- PETIT BLONGIOS, *Ixobrychus exilis*
- ÉPERVIER DE COOPER, *Accipiter cooperii*
- AIGLE ROYAL, *Aquila chrysaetos*
- FAUCON PÈLERIN, *Falco peregrinus*
- DINDON SAUVAGE, *Meleagris gallopavo*
- RÂLE JAUNE, *Coturnicops noveboracensis*
- CHOUETTE LAPONE, *Strix nebulosa*
- PIC À TÊTE ROUGE, *Melanerpes erythrocephalus*
- TROGLODYTE À BEC COURT, *Cistothorus platensis*
- BRUANT SAUTERELLE, *Ammodramus savannarum*
- PARULINE AZURÉE, *Dendroica cerulea*

ESPÈCES MENACÉES

Ce sont des espèces qui sont en danger de disparition et qui risquent effectivement de disparaître si rien n'est fait pour éliminer les facteurs responsables de leur situation.

- PYGARGUE À TÊTE BLANCHE,
  Haliaeetus leucocephalus
- STERNE DE DOUGALL, *Sterna dougallii*

ESPÈCES EN DANGER

Ces espèces sont appelées à disparaître à plus ou moins brève échéance. Exemple : le Pluvier siffleur ne niche plus qu'aux Îles de la

Madeleine. Son principal ennemi est le véhicule tout terrain qui envahit les plages malgré les interdictions. Autre exemple, la Pie-grièche migratrice pour laquelle aucune preuve de nidification n'a été rapportée depuis un certain temps. Si jamais on trouve un couple nicheur, il serait préférable de ne pas ébruiter la chose pour ne pas le perturber : aviser seulement Environnement Canada ; là on saura quoi faire.

- PLUVIER SIFFLEUR, *melodus*
- STERNE CASPIENNE, *Sterna caspia*
- PIE-GRIÈCHE MIGRATRICE, *Lanius ludovicianus*

ESPÈCES EXTIRPÉES

Ces espèces ne sont plus présentes au Québec mais existent encore ailleurs.

- CYGNE TROMPETTE, Cygnes buccinator
- COURLIS ESQUIMAU, Numenius borealis

Note : Quelques individus de cette espèce (Courlis esquimau) ont déjà été signalés dans le milieu des années 90 à la Barre de sable à Sainte-Anne-de-Portneuf, mais aucune confirmation n'a été faite par la suite.

ESPÈCES DISPARUES

Autrefois très présentes au Québec, ces espèces n'existent plus, nulle part au monde d'ailleurs.

- EIDER DU LABRADOR, *Camptorhynchus labradorius*
- GRAND PINGOUIN, *Pinguinus impennis*
- TOURTE VOYAGEUSE, *Ectopistes migratorius*

Après avoir consulté le site internet d'Environnement Canada, dont la dernière mise à jour est datée du 15 Août 2000, nous avons une vue d'ensemble plus exacte de la situation au Canada et plus par-ticulièrement au Québec. Pour ceux qui y ont accès je vous suggère fortement de visiter ce site :

http://www.speciesatrisk.go.ca/Species/Français/SearchResults.cfm

Vous constaterez que ce ne sont pas seulement les oiseaux qui sont concernés. Outre les espèces signalées précédemment, voici d'autres espèces d'oiseaux menacées pour le Canada.

ESPÈCES DISPARUES DU CANADA

- TÉTRAS DES ARMOISES, *Centrocercus urophasianus* (B-C)
- TÉTRAS DES PRAIRIES, *Tympanuchus cupido*

ESPÈCES EN VOIE DE DISPARITION

- ARLEQUIN PLONGEUR, *Histrionicus histrionicus* (Population de l'est)
- COLIN DE VIRGINIE, *Colinus virginianus*
- RÂLE ÉLÉGANT, *Rallus elegans*
- GRUE BLANCHE (DU CANADA), *Grus canadensis*
- PLUVIER MONTAGNARD, *Charadrius montanus*
- EFFRAIE DES CLOCHERS, *Tyto alba* (Population de l'est)
- CHOUETTE TACHETÉE, *Strix occidentalis*
- CHEVÊCHE DES TERRIERS, *peotyto cunicularia*
- MOUCHEROLLE VERT, *Empidonax virenscens*
- MOQUEUR DES ARMOISES, *Oreoscoptes montanus*
- BRUANT DE HENSLOW, *Ammodramus henslowii*
- PARULINE DE KIRTLAND, *Dendroica kirtlandii*
- PARULINE ORANGÉE, *Protonotaria citrea*

ESPÈCES MENACÉES

- GUILLEMOT MARBRÉ, *Brachyramphus marmoratus*
- PIC À TÊTE BLANCHE, *Picoides albolarvatus*
- PIPIT DE SPRAGUES, *Anthus spragueii*
- PARULINE À CAPUCHON, *Wilsonia citrina*
- PARULINE POLYGLOTTE, *Icteria virens*

SAVEZ-VOUS QUE....

...le Martin-pêcheur d' Amérique et l'Hirondelle de rivage ont la particularité de se creuser un tunnel dans le sable pour ensuite s'y construire un nid.

ESPÈCES PRÉOCCUPANTES

- GRAND HÉRON, *Ardea herodias* (Sur la côte du Pacifique)
- AUTOUR DES PALOMBES, *Accipiter gentilis*
  (Îles de la Reine-Charlotte)
- BUSE À ÉPAULETTES, *Buteo lineatus*
- BUSE ROUILLEUSE, *Buteo regalis*
- COURLIS À LONG BEC, *Numenius americanus*
- MOUETTE BLANCHE, *Pagophila eburnea*
- MOUETTE ROSÉE, *Rhodostethia rosea*
- GUILLEMOT À COU BLANC, *Synthliboramphus antiquus*
- PETIT-DUC NAIN, *Otus flammeolus*
- HIBOU DES MARAIS, *Asio flammeus*
- PIC DE LEWIS, *Melanerpes lewis*
- GRIVE DE BICKNELL, *Catharus bicknelli*
- BRUANT DES PRÉS, *Passerculus sandwichensis*
- PARULINE HOCHEQUEUE, *Seiurus motacilla*

QUELQUES ESPÈCES DONT LES DONNÉES SONT INSUFFISANTES

- STERNE DE FORSTER, *Sterna forsteri*
- PETIT-DUC DES MONTAGNES, *Otus kennicottii*
- ENGOULEVENT DE NUTTALL, *Phalaenoptilus nuttallii*

Il reste à espérer que cette liste diminuera avec le temps.

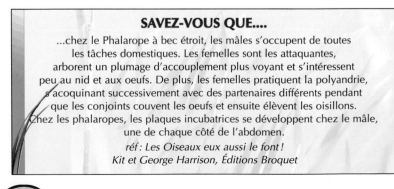

SAVEZ-VOUS QUE....

...chez le Phalarope à bec étroit, les mâles s'occupent de toutes
les tâches domestiques. Les femelles sont les attaquantes,
arborent un plumage d'accouplement plus voyant et s'intéressent
peu au nid et aux oeufs. De plus, les femelles pratiquent la polyandrie,
s'acoquinant successivement avec des partenaires différents pendant
que les conjoints couvent les oeufs et ensuite élèvent les oisillons.
Chez les phalaropes, les plaques incubatrices se développent chez le mâle,
une de chaque côté de l'abdomen.

réf : Les Oiseaux eux aussi le font !
Kit et George Harrison, Éditions Broquet

ORIGINES DES NOMS D'OISEAUX

Plusieurs espèces de notre faune aviaire portent un nom qui se rapporte à leurs habitats favoris (exemples : la Paruline des pins ou encore le Bruant des prés), d'autres sont identifiées par leurs coloris (tel le Geai bleu ou encore la Mésange à tête noire) et que dire du Moucherolle tchébec ou du Pioui de l'Est dont le nom rappelle leur chant respectif. Il y a aussi des oiseaux qui pour honorer et remercier des hommes et des femmes ayant marqué le monde de l'ornithologie, portent fièrement leurs noms.

Lors de traductions ou nouvelles nomenclatures cet hommage leur a été parfois subtilisé ou enlevé. Cependant on retrouve encore leurs noms dans les nomenclatures anglaises et latines.

Voici donc quelques espèces qui fréquentent le Québec et qui sont associées à des noms du monde de l'ornithologie. On les retrouve soit dans le nom français, soit dans le nom scientifique (en latin) ou dans le nom anglais.

Note : Seuls les scientifiques dont au moins une espèce les représente au Québec sont mentionnés ici. Par contre les autres espèces d'oiseaux qui portent fièrement leur nom sont aussi mentionnées, peu importe où on les trouve.

Dans ce texte le verbe « collecter » est utilisé dans le sens de prélever des spécimens dans la nature pour fin d'études.

Maintenant rendons à César ce qui appartient à César.

Baird, Spencer Fullerton (1823-1887) : A participé à la fondation de l'Institut Smithsonian et ce, avant qu'il ne devienne un centre scientifique majeur. A fait de nombreux travaux sur l'ornithologie et a été impliqué dans le choix de noms pour certaines espèces d'oiseaux. Immortalisé par :

BÉCASSEAU DE BAIRD,
Calidris bardii, (nom anglais : *Baird's sandpiper*).

BRUANT DE BAIRD,
Ammodramus bairdii, (nom anglais : *Baird's Sparrow*).

TROGON DE BAIRD,
Trogon bairdii, (nom anglais : *Baird's Trogon*).

TYRAN DE BAIRD,
Myiodynastes bairdii, (nom anglais : *Baird's Flycatcher*).

Barrow, Sir John (1764-1848) : Fondateur de la *Royal Geographical Society.* Aussi connu pour ses voyages en Arctique. Immortalisé par :

GARROT D' ISLANDE,
Bucephala islandica, (nom anglais : *Barrow 's Goldeneye*).
Ainsi qu'une sous-espèce du Goéland bourgmestre.

Bicknell, Eugène B. : Ornithologue amateur qui a découvert cette espèce en 1881 au Mont Slide dans les Catskills près de New York et immortalisé par :

GRIVE DE BICKNELL,
Catharus bicknelli, (nom anglais : *Bicknell's Thrush*).

Blackburne, Anna (1726-1793) : Botaniste anglaise qui avait chez elle un musée privé sur les oiseaux. Immortalisée par :

PARULINE À GORGE ORANGÉE,
Dendroica fusca, (nom anglais : *Blackburnian Warbler*).

Bonaparte, Charles Lucien : (1803-1857) : frère de Napoléon ; zoologiste qui a contribué aux suppléments du volume d'Alexandre Wilson, *American Ornithology or the Natural History of the Birds of the United States.* Immortalisé par :

MOUETTE DE BONAPARTE,
Larus Philadelphia, (nom anglais : *Bonaparte's Gull*).

BÉCASSEAU À CROUPION BLANC,
Calidris fuscicollis, (noms anglais : *Bonaparte's Sandpiper* and *White-rumped Sandpiper*)

ENGOULEVENT DE BONAPARTE,
Caprimulgus concretus, (nom anglais : *Bonaparte's Nightjar*).

PIC À COURONNE ROUGE,
Melanerpes rubricapillus, (noms anglais : *Bonaparte's Woodpecker* and *Red-crowned Woodpecker*).

STURNELLE À SOURCILS BLANCS,
Leistes superciliaris, (noms anglais : *Bonaparte's Blackbird and White-Browed Blackbird*).

Brewster, William (1851-1919) : Co-fondateur et président de *l'American Ornithologist's Union* et du *Nuttall Ornithological Club of Cambridge.* Auteur de plus de 300 articles divers. Immortalisé par un Hybride :

PARULINE DE BREWSTER,
Vermivora chrysoptera x pinus
(hybride P. à ailes bleues x P. à ailes dorées),
(non anglais : *Brewster's Warbler*).

Cooper, William (1780-1864) : Co-fondateur et secrétaire du Lycée de New-York en Sciences naturelles et premier américain admis membre à la Société Zoologique de Londres. A étudié et nommé le Gros-bec errant. Immortalisé par :

ÉPERVIER DE COOPER,
Accipiter cooperii, (nom anglais : *Cooper's Hawk*).

PETIT-DUC DE COOPER,
Otus cooperi, (nom anglais : *Cooper's Screech Oïl*).

Degland, Côme Damien (1787-1856) : Directeur du *Musée d'Histoire Naturelle de Lille,* France. Auteur de *Ornithologie Européenne.* Immortalisé par :

MACREUSE À AILES BLANCHES, *Melanitta fusa deglandi,*
(nom anglais : *White-winged scoter*).

Forster, Johann Reinhold (1729-1798) : Naturaliste allemand qui a accompagné Cook lors de sa deuxième expédition. Auteur de *A Catalogue of Animals of North America.* A collecté et décrit de nombreuses espèces d'oiseaux. Immortalisé par :

STERNE DE FORSTER,
Sterna forsteri, (nom anglais : *Forster's Tern*)

CARACARA AUSTRAL, *Phalcoboenus australis,*
(noms anglais : *Forster's Caracara and Striated Caracara*).

Franklin, Sir John (1786-1924) : Navigateur et explorateur anglais qui collectait aussi des oiseaux. Décédé lors d'un voyage dans l'Arctique Canadien. Immortalisé par :

MOUETTE DE FRANKLIN,
Larus pipixcan, (nom anglais : *Franklin's Gull*).

ENGOULEVENT AFFIN,
Caprimulgus affinis, (nom anglais : *Franklin's Nightjar*).

PRINIA DE HODGSON,
Prinia hodgsonii, (noms anglais : *Franklin's Prinia* and *Franklin's*

Harris, Edward (1799-1863) : Membre d'une expédition à Yellowstone avec John James Audubon. Immortalisé par 2 espèces d'oiseaux :

BUSE DE HARRIS,
Parabuteo unicinctus, (nom anglais : *Harris's Hawk*).

BRUANT À FACE NOIRE,
Zonotrichia querula, (nom anglais : *Harris's Sparrow*).

Henslow, John Steven (1796-1861) : Professeur de botanique et ami de John James Audubon. Immortalisé par :

BRUANT DE HENSLOW,
Ammodramus henslowii, (nom anglais : *Henslow's Sparrow*).

Holboell, Carl Peter (1795-1856) : Gouverneur du Groenland Sud ayant un goût pour les sciences naturelles ; a identifié et décrit plusieurs espèces d'oiseaux. Immortalisé par une sous-espèce :

GRÈBE JOUGRIS,
Podiceps grisegena, (nom anglais : *Red-necked Grebe*).

Hornemann, Jens Wilkin (1770-1841) : Danois, professeur de botanique. Immortalisé par :

SIZERIN BLANCHÂTRE,
Carduelis hornemanni, (nom anglais : *Hoary Redpoll*).

Kirtland, Jared Potter (1793-1877) : Physicien, horticulteur, naturaliste et professeur. Spécialiste sur les poissons de l'Ohio. Immortalisé par :

PARULINE DE KIRTLAND,
Dendroica kirtlandii, (nom anglais : *Kirtland's Warbler*).

Lawrence, Newbold Trotter (1855-1928) : Ornithologue amateur. Immortalisé par :

PARULINE DE LAWRENCE, plus tard être classifiée comme un hybride de P. à ailes dorées x P. à ailes bleues.
(nom anglais : *Lawrence's Warbler*).

Leach, William Elford (1790-1836) : Zoologue au *British Museum in London,* une sommité sur les crustacés. Immortalisé par :

OCÉANITE CUL-BLANC,
Oceanodroma leucorhoa,
(noms anglais : *Leach's Petrel* and *Leach's Storm-petrel*).

Le Conte, John Lawrence Md (1825-1883) : Entomologiste. Immortalisé par :

BRUANT DE LE CONTE,
Ammodramus leconteii, (nom anglais : *Le Conte's Sparrow*).

MOQUEUR DE LE CONTE,
Toxostoma leconteii, (nom anglais : *Le Conte's Thrasher*).

Lincoln, Thomas (1812-1833) : Compagnon de John James Audubon pour une expédition au Labrador. A découvert une espèce de bruant par lequel il est aujourd'hui honoré. Immortalisé par :

BRUANT DE LINCOLN,
Melospiza lincolnii, (nom anglais : *Lincoln's Sparrow*).

Mauri, Ernesto (1791-1836) : Botaniste italien, directeur du Jardin Botanique de Rome, co-producteur du *Iconografia della Fauna Italica.* Immortalisé par :

BÉCASSEAU D'ALASKA,
calidris mauri, (nom anglais : *Western Sandpiper*).

Mc Dougall, Patrick (1770-1817) : Docteur et collecteur de spécimens. Immortalisé par :

STERNE DE DOUGALL,
Sterna dougallii, (nom anglais : *Roseate Tern*).

Ross, Bernard Rogan (1827-1874) : Cadre de la compagnie de la Baie d'Hudson et collaborateur de l'Institut Smithsonian, a collecté aussi quelques spécimens. Immortalisé par :

OIE DE ROSS,
Anser rossii, (nom anglais : *Ross's Goose*).

MOUETTE ROSÉE,
Rhodostethia rosea, (nom anglais : *Ross's Gull*).

Sabine, Sir Edward (1788-1883) : Frère de Joseph Sabine. Astronome et physicien britannique, membre d'une expédition arctique. Immortalisé par :

MOUETTE DE SABINE,
Xema Sabini, (nom anglais : *Sabine's Gull*).

Sabine, Joseph (1770-1837) : Frère aîné de Sir Edward, membre d'une expédition arctique. Immortalisé par une sous-espèce de la :

GÉLINOTTE HUPPÉE,
Bonasa umbellus (Sabini), (nom anglais : *Ruffed Grouse*).

Smith, Gideon B. (1793-1867) : Physicien de Baltimore, ami et correspondant de J.J. Audubon. Immortalisé par :

BRUANT DE SMITH,
Calcarius pictus, (nom anglais : *Smith's Longspur*).

Swainson, William (1789-1855) : Naturaliste anglais, ornithologue, voyageur, écrivain et illustrateur en zoologie. Membre de la *Linnaean Society,* membre de la *Royal Society.* A décrit et identifié plus de 20 espèces d'oiseaux d'Amérique du Nord. Collaborateur à plusieurs magazines dont le *Fauna Boreali-Americana* et *Zoological Illustrations.* Immortalisé par :

BUSE DE SWAINSON,
Buteo swainsonii, (noms anglais : *Swainson's Buzzard* and *Swainson's Hawk*).

PARULINE DE SWAINSON,
Limnothlypis swainsonii, (nom anglais : *Swainson's Warbler*).

GRIVE À DOS OLIVE,
Catharus ustulatus, (nom anglais : *Swainson's Thrush*).

ÉLANION PERLE,
Gampsonyx swainsonii, (nom anglais : *Swainson's Pearl Kite*).

FRANCOLIN DE SWAINSON,
Francolinus swainsonii, (noms anglais : *Swainson's Francolin* and *Swainson's Spurfowl*).

PTILOPE À DIADÈME,
Ptilinopus regina, (noms anglais : *Rose-Crowned Fruit-Dove* and *Swainson's Fruit Dove*).

MOTMOT HOUTOUC,
Momotus momota, (noms anglais : *Blue-Crowned Motmot* and *Swainson's Motmot*).

TYRAN DE SWAINSON,
Myiarchus swainsonii, (nom anglais : *Swainson's Flycatcher*).

ALAPI NOIR,
Pyriglena atra, (noms anglais : *Fringe-backed Fire* and *Swainson's Fire-eye*).

ALAPI À VENTRE BLANC,
Myrmeciza longipes, (noms anglais : *Swainson's Antcatcher, Swainson's Antwren* and *White-Billied Antbird*).

MOINEAU DE SWAINSON,
asser swainsonii, (nom anglais : *Swainson's Sparrow*).

Thayer, John Eliot (1835-1933) : Ornithologue, fondateur du *Thayer Museum in Lancaster.* Ce musée contient une des plus grosses collections d'oiseaux naturalisés ainsi qu'une bibliothèque consacrée à l'ornithologie. Immortalisé par :

GOÉLAND DE THAYER,
Larus (g.) thayeri, (nom anglais : *Thayer's Gull*).

Townsend, John Kirk (1809-1851) : Ornithologue surtout connu pour son *Narrative of a Journey Across the Rocky Mountains.* Collecteur d'oiseaux et membre de *l'Académie des Sciences Naturelles de Philadelphie,* pour en devenir curateur en 1837. A découvert, entre autres, le Solitaire de Townsend ainsi que plusieurs autres espèces. Immortalisé par :

SOLITAIRE DE TOWNSEND,
Myadestes townsendni, (nom anglais : *Townsend's Solitaire*).

PARULINE DE TOWNSEND,
Dendroica townsendni, (nom anglais : *Townsend's Warbler*).

JUNCO ARDOISÉ sous-espèce, (race de l'Orégon), *Junco hyemalis townsoni,* (nom anglais : *Dark-eyed Junco*).

Traill, Thomas Stewart, Md (1781-1862) : Naturaliste écossais, fondateur de l'*Institut Royal de Liverpool,* professeur et éditeur de *Encyclopédie Britannique,* 8ième édition. Immortalisé par :

MOUCHEROLLE DES SAULES,
Empidonax traillii, (nom anglais : *Traill's Flycatcher*).

Vallisnieri, Antonio (1661-1730) : Naturaliste italien et professeur de médecine. A découvert la plante dont un certain fuligule se nourrit. Immortalisé par :

FULIGULE À DOS BLANC,
Aythya valisineria, (nom anglais : *Canvasback*).

Wilson, Alexandre (1766-1813) : Considéré comme le père scientifique de l'ornithologie. A collecté plusieurs espèces d'oiseaux, surtout dans l'Est des États-Unis, spécimens qu'il conservait pour mieux les étudier et peindre. Auteur des fameux 9 volumes *American Ornithology or the Natural History of the Birds of the United States.* Immortalisé par plusieurs espèces d'oiseaux :

OCÉANITE DE WILSON,
Oceanites oceanicus, (noms anglais : *Wilson's Petrel* and *Wilson's Storm-Petrel*).

BÉCASSINE DES MARAIS,
Gallinago gallinago, (nom anglais : *Wilson's Snipe*).

PHALAROPE DE WILSON,
Steganopus tricolor, (nom anglais : *Wilson's Phalarope*).

PLUVIER DE WILSON,
Charadrius wilsonia, (nom anglais : *Wilson's Plover*).

PARADISIER RÉPUBLICAIN,
Cicinnurus respublica, (nom anglais : *Wilson's Bird-of-Paradise*).

COMBASSOU DE WILSON,
Vidua wilsoni, (nom anglais : *Wilson's Indigo Finch*).

PARULINE À CALOTTE NOIRE,
Wilsonia pusilla, (nom anglais : *Wilson's Warbler*).

LES DIVERS DÉFIS

L'ornithologie est une science complexe et parfois ardue mais pourquoi ne pas profiter tout en l'étudiant, pour aussi s'en amuser en participant à certains de ces défis captivants. Plusieurs concours ont même un côté très scientifique et assez rigoureux ; on a qu'à penser au Taverner Cup où il est préférable de bien connaître les chants d'oi-seaux ou encore à l'inventaire des canards hivernant dans la région métropolitaine (activité qui se déroule en février). Certains de ces défis se relèvent en solitaire, d'autres en équipe et certains en groupes d'équipes ; on a qu'à penser au « Décompte des Oiseaux de Noël » où un certain territoire divisé en plusieurs sections et inventorié par plusieurs personnes par équipes de 2 ou davantage. Tandis que pour « la course aux oiseaux d'hiver » qui est plutôt une course individuelle, il n'y a qu'un seul gagnant. Il y a aussi les défis personnels, moins sérieux mais « drôlement amusants » et qu'il faut savoir bien planifier : 100 espèces dans une journée qu'en dites-vous ? Les « 24 heures de mai » (voir page suivante). Il y a aussi le dernier arrivé des défis : celui des 30 kilomètres qui consiste à faire l'inventaire des oiseaux fréquentant votre région dans un rayon de 30 kilomètres à partir de votre demeure.

Tous ces défis et concours sont quand même d'une grande utilité pour la science, ils sont la source d'une multitude d'informations pour qui sait bien les utiliser : la découverte d'une espèce visiteuse rare, une diminution de population, une expansion territoriale (exemple : celle du Dindon sauvage), une espèce absente depuis un certain temps et peut-être en danger ? Et même l'invasion de strigidés (hiboux) dans un secteur.

Et si vous participez à l'un de ces défis sans grande conviction au moins vous aurez pris l'air frais et fait un peu d'exercice ce qui ne nuit généralement pas du côté santé.

LES 24 HEURES DE MAI

Nouvelle activité et non la moindre. Elle à lieu la fin de semaine suivant la fête de Dollard et de la Reine. Le tout débute le vendredi à 17 heures au samedi 17 heures et se termine généralement par un souper communautaire où le bilan de l'activité est dévoilé. Il n'est pas rare que des découvertes y soient signalées, les « *cocheux* » se font d'ailleurs un devoir de participer à ce souper.

Il faut savoir se préparer un itinéraire soigneusement car une bonne stratégie est de rigueur. Premièrement, il faut tenir compte de plusieurs facteurs : de nouveaux arrivants sont signalés tous les jours (une espèce absente le vendredi peut être sur son aire de nidification le samedi). Deuxièmement les « 24 heures » débutent à la fin de la journée. Les berges des lacs et des rivières sont donc préférables. Pour les passereaux, c'est le samedi matin très tôt et il est souhaitable d'être sur les lieux avant le lever du soleil afin de faire partie du décor, c'est-à-dire vers 4 heures du matin. Passé cette heure, vous perturbez le milieu et les oiseaux se font plus discrets. Après le coucher du soleil, il faut concentrer ses efforts sur les strigidés et engoulevents. Les deux premières heures suffisent generalement. Comme il faut être de retour très tôt le matin, mieux vaut ne pas trop s'attarder.

Samedi matin, 4 heures, le soleil se lève : les oiseaux s'éveillent et les nouveaux arrivants nocturnes sont aussi sur place. Plusieurs de ces espèces ne resteront pas ; elles sont seulement de passage. Neuf heures, déjeuner très consistant car c'est le seul arrêt de la journée ; 10 h 30, début des recherches pour les rapaces et des espèces endémiques à cette région que nous visitons.

Berges pour un limicole hâtif, zones agricoles pour les goglus, sturnelles, bruants et peut-être un chasseur du ciel. Petits boisés pour les parulines et autres passereaux ; milieux humides, endroits privilégiés pour un râle, butor ou une paruline rare. Aucun endroit n'est à négliger surtout lors des migrations printanières.

Vers la fin des « 24 heures », (à 15 heures) petit inventaire des espèces dénombrées pour noter les absents et faire une dernière tentative pour les trouver. Lors du dernier « 24 heures » un grand absent se fait sentir ; comme c'est le territoire de Mirabel qui nous accueille (voir le trajet dans ce répertoire), toute une sinécure, après une heure de recherches et 50 kilomètres de voiture, le voilà notre spécimen ou plutôt les spécimens. Tout près d'une grange, bruyants et querelleurs ; ils sont une vingtaine qui monopolisent l'endroit... le Moineau domestique.

Plusieurs informations découlent de ces 24 heures ; les quantités d'individus par espèces, des anomalies migratoires suite à la découverte d'une espèce visiteuse rare, les grands absents ou retardataires. La température joue un grand rôle pour cette fin de semaine, ce qui influence parfois les données.

Et le souper ? Occasion du dévoilement de secrets mals gardés, soirée de nouvelles relations et informations aviaires. Invitations ornithologiques et nouvelles amitiés : tous les clubs régionaux y sont représentés.

Règle générale le souper est à 19 heures et se termine assez tôt... j'ignore pourquoi !!!

Y aurait-il quelqu'un qui manque de sommeil ?

100 ESPÈCES POUR UNE SEULE JOURNÉE

NOUVEAU DÉFI

Mission possible : par contre mieux vaut se préparer adéquatement et tenir compte de plusieurs facteurs. Comme ce genre de défi se pratique surtout en automobile, il faut établir un itinéraire précis et prévoir certains arrêts obligatoires. Se préparer à visiter plusieurs milieux différents dans la même journée et décider du temps alloué pour chaque endroit. Cent espèces différentes dans la journée, c'est possible mais ça se prépare. Après la délimitation du territoire, choisir une date idéale. Cette date est très importante car elle varie selon les régions. Un autre facteur à ne pas négliger est le nouveau feuillage printanier car l'observation des petits passereaux en dépend.

Comme handicap il faut donc tenir compte du feuillage qui se développe. Les oiseaux sont moins visibles, d'où l'importance du bon choix des lieux.

L'idéal est de se faire un tableau en tenant compte de certains facteurs et prévoir être au premier poste une heure avant le lever du soleil. Pour le retour prévoir aussi un arrêt à en endroit pouvant abriter des espèces nocturnes.

Heures	4 à 7	6 à 9	9 à 11	11 à 16	16 à 19	fin du jour
Lieux	boisé mixe	2ième boisé	Milieu humide	Vaste champ Terre agricole	Berges	Boisée
Passereaux	x	x	x	x		x
Rapaces				x	x	
Canards			x		x	
Limicoles	x		x			x
Strigidés		x		x		
Espèces recherchées		x	x			

TABLEAU SUGGÉRÉ

Pourquoi un tableau ? Comme on peut le voir, les passereaux sont plus faciles à observer et ce à plusieurs endroits ; par contre, en ce qui concerne les rapaces, les heures de pointe sont très limitées. Pour observer les strigidés, les débuts et fins de journées sont préférables ; les canards et limicoles fréquentent des endroits spécifiques ; de plus, les canards ont besoin d'un endroit calme pour passer la nuit, donc une anse ou un milieu humide de leur choix. Quant aux espèces rares ou endémiques, mieux vaut s'y intéresser aux heures les moins productives : n'oublions pas ici que l'objectif demeure l'observation des 100 espèces à observer pour la journée.

Parlons du partenaire maintenant. Et bien oui, il est préférable d'être deux ; comme la journée risque d'être longue, un bon pilote est toujours utile surtout s'il a un peu le sens de l'humour et de plus connaît assez bien « ses oiseaux ». Dites-vous que quatre yeux valent mieux que deux et s'il a tendance à sommeiller lorsque vous roulez, vous voilà pris avec un autre handicap (cela peut arriver à l'occasion).

RECENSEMENT DES OISEAUX DE NOËL

Événement majeur et non le moindre ; à pied, en voiture, à cheval, en canot, à dos de chameau (ça j'en suis moins sûr). « Ils sont fous ces ornithologues » dirait OBÉLIX… Et oui, tous les moyens de transport sont bons pour cette activité. Une fois par année, un recensement d'oiseaux se fait entre le 20 décembre et le 10 janvier (cette date varie légèrement d'une année à l'autre). Pour nous c'est l'hiver avec sa froidure et sa neige, si ce n'est pas le verglas ; mais pour certains observateurs, la saison et la température sont tout autres.

Jusqu'au début du vingtième siècle, une coutume existait aux États-Unis : celle de tuer le plus d'oiseaux possible la journée de Noël. Quel divertissement ? Mais c'était sans compter sur la détermination d'un homme et 28 de ses amis : Franc Michler Chapman. Lui avait une autre idée moins belliqueuse pour fêter Noël, soit inventorier les oiseaux de sa région. C'est ainsi qu'en 1900 se fit le premier décompte ou « Recensement des Oiseaux de Noël ». Actuellement c'est la plus grosse activité collective d'ornithologie et la plus informelle au monde. Des milliers d'informations sont consignées, classées et publiées. Que ce soit pour connaître le succès de la migration d'une espèce en particulier ou une modification de cette migration. Une baisse de population pour une espèce y est vite détectée ; le plus bel exemple : le cas de la Buse de Swainson dont la population a considérablement baissé suite à un déboisement intensif au Mexique.

Il y a aussi des côtés positifs à ce recensement. Le résultat de l'aménagement d'un nouvel endroit par l'installation de postes d'alimentation ou encore le résultat d'une mesure prise pour protéger un territoire.

Pour une fois l'Alaska, le Québec, la Floride, le Mexique, le Brésil et même les Bermudes participent à cette activité commune… le « Recensement des Oiseaux d'Hiver » ou le *Christmas Bird Count*. Le tout sous la gouverne de la *Société Nationale Audubon* : et pas besoin de rencontre au sommet avec barricades pour s'entendre. D'ailleurs de nouveaux participants s'ajoutent à tous les ans. Entre 1700 et 1800 espèces d'oiseaux sont répertoriées chaque année le tout publié par la suite dans un volume de plus de 600 pages et disponible pour les participants.

Comme cette activité est en plein essor, il est important qu'elle soit bien structurée et chapeautée. Qui mieux que la *Société Nationale Audubon* peut le faire ? Plusieurs dizaines de milliers de personnes de divers pays y participent et le nombre de bénévoles augmente d'année en année. Un contrôle et une certaine politique sont imposés requis afin de respecter les même critères. Le plus bel exemple est que depuis 1973, les Pigeons bisets sont inventoriés ; auparavant, ils étaient considérés comme des oiseaux domestiques… tout comme la volaille de basse-cour.

Des critères sont établis à l'avance ; il faut faire une demande de territoire auprès de la *Société Nationale Audubon,* demande d'ailleurs très simple. Un organisme ou un individu peut faire une telle demande. C'est un cercle de 15 miles (25 km) de diamètre qui est attribué pour la région choisie par le demandeur. Bien sûr que le choix du territoire doit être libre lors de la demande car il peut y avoir déjà une personne ou un organisme déjà responsable de ce cercle. Ensuite le responsable divise le territoire en secteurs et demande à diverses équipes le soin d'inventorier le tout. Du lever au coucher du soleil, l'inventaire se déroule et le tout se termine généralement en un souper de groupe. Occasion idéale pour rencontrer des confrères et consoeurs ornithologues. De belles découvertes sont souvent révélées : la présence d'espèces recherchées ou encore celle d'un visiteur rare. Et comme beaucoup de ces participants s'intéressent aussi à la course aux oiseaux d'hiver, cet événement est donc majeur pour eux.

Il est important que ce genre d'activité se déroule avec la collaboration de la *Société Nationale Audubon,* sinon le résultat a peu de valeur et risque de ne pas être reconnu d'utilité scientifique. Malheureusement beaucoup d'organismes font ce recensement et négligent de s'enregistrer auprès de l'organisme en question ; cela devient une simple réunion sociale et de moindre importance. À noter que certains clubs d'ornithologie se joignent souvent à un autre club, souvent par manque d'effectifs ou parce que leur association préfère la collaboration inter-club, ce qui est tout à fait louable car un nombre minimum de bénévoles est requis et cela aide au succès de cette activité hivernale.

Comme logistique, ce peut-être assez ardu et CHAPEAU au responsable du territoire. La première chose à faire consiste à diviser le tout en sections, pour ensuite trouver des responsables de sections qui eux formeront une équipe ou un tandem. Une carte géographique détaillée leur est remise, carte préparée par le responsable. En plus, il lui faut organiser le souper et le déroulement de la soirée. Comme tout le monde veut les résultats avant la fin de l'activité. il y a risque que la compilation lui serve probablement de souper (sic). En moyenne, c'est plus d'une cinquantaine de participants qui forment des équipes de 2 à 5 personnes ; certains auront inventorié

SAVEZ-VOUS QUE....

..que dans la seule région métropolitaine plus de 110 espèces d'oiseaux sont répertoriées l'hiver et que plusieurs de ces espèces ne s'observent qu'en l'hiver. On a qu'à penser au Harfang des neiges, Bruant des neiges, Bruant lapon, Durbec des sapins...ainsi que plusieurs autres espèces.

leur section à pied du fait qu'ils étaient dans un parc ou un milieu urbain. D'autres auront roulés en voiture une grosse partie de la journée parce que leur section était plutôt rurale et je connais même une équipe qui a passé une grande partie de la journée dans un dépotoir... et comme le responsable du groupe est reconnu pour être assez rigoriste... ces heures ont certainement été longues et nauséabondes. Que de plaisirs! Le pire c'est une journée de pluie ou encore un 20 °C, avec des vents assez costauds.

Ah! passion quand tu nous tiens... Durant ces deux semaines, certains mordus participent jusqu'à 3 ou 4 de ces «Recensements de Noël». Il y a même des responsables de ces activités qui se consultent entre eux pour le choix de la journée afin d'avoir le plus de volontaires possible. Il existe même un club dans la région métropolitaine qui supervise et inventorie deux territoires pour deux journées différentes. C'est dire tout l'engouement pour cette activité hivernale; et dire que certains pensent que l'hiver est une saison morte! Attendez un peu de mieux connaître «La Course au Oiseaux d'hiver», ce qui n'est pas de tout repos.

30 KILOMÈTRES

(surtout pour les internautes)

Idéal pour un débutant et captivant pour un rigoriste. Que de découvertes souvent insoupçonnables peuvent se faire. Découvrir qu'un rapace fréquente votre quartier peut vous sembler incroyable et entendre une paruline titiller à dix mètres de votre demeure, surtout en milieu urbain, voilà de quoi exciter la curiosité de vouloir connaître et découvrir vos autres voisins aviaires. Je ne vous parle pas davantage de ce défi, je vais plutôt laissez l'innovateur, M. Laval Roy le faire.

C'était en 1963... Je me souviendrai toujours de mes débuts en ornithologie alors que j'avais 12 ans. C'était en 1963. À cette époque, il n'y avait pas de clubs locaux, et à peu près pas de communication avec d'autres ornithologues. L'idée de faire des kilomètres pour aller voir une espèce plus rare était du domaine de l'irréel. Mes grandes «sorties» se faisaient lorsque j'enfourchais ma bicyclette équipée de pneus-ballons et que je m'évadais à quelques kilomètres de chez moi. Et quand, par miracle, j'avais la grande chance d'aller faire de l'observation avec un professeur de sciences naturelles dans le village d'à côté, c'était la fête. Donc, c'est dans un rayon plutôt restreint que j'ai fait l'apprentissage de la connaissance des oiseaux. Je me souviendrai à jamais de mes premières rencontres avec le Pluvier kildir (*Charadrius vociferus*), le Goglu des prés (*Dolichonyx oryzivorus*), le Pipit d'Amérique (*Anthus rubescens*), le Cardinal à poitrine rose (*Pheucticus ludovicianus*), le Grosbec errant (*Hesperiphona vespertina*), la Pie-grièche migratrice (*Lanius ludovicianus*)… Et années après années, je les redécouvrais, tâchant d'en apprendre toujours un peu plus sur chacun : un chant, un comportement, un *jizz*… Il y a tant à décou-vrir à côté de chez soi. Avec le temps, j'ai éprouvé le besoin d'aller sous d'autres cieux et d'observer des nouvelles familles d'oiseaux, des nouveaux genres, des nouvelles espèces. Et chose bizarre, le fait de m'éloigner un peu, de me dépayser, ne me faisait nullement déprécier les êtres emplumés que je côtoyais au moins durant la belle saison. C'est vrai que lorsqu'on revient d'un voyage au Costa Rica ou en Amérique du Sud, où on peut observer 300 espèces différentes en 7 jours, on ressent un certain « spleen », mais ça n'a rien à voir avec les oiseaux eux-mêmes. C'est plutôt le nombre d'individus et la diversité des espèces qui font contraste. Je suis certain d'une chose : de connaître plus d'espèces sous d'autres cieux, nous fait apprécier nos espèces communes, et bien connaître nos espèces nous fait apprécier les nouvelles. Il ne se perd jamais rien en ornithologie.

En 1999, j'ai trouvé géniale l'idée de Luc DeRoche, du club « Envolée Chaleur » de Petit-Rocher NB, d'indiquer le nombre d'espèces observées par son club, pour l'année en cours, au début de ses rapports d'observation. Ceci permet de voir la diversité d'espèces pouvant être observées dans chacun de nos milieux. Quand on commence à pratiquer l'ornithologie, on ne s'imagine pas toute la diversité et la richesse de notre milieu. On croît qu'il faut aller bien loin pour observer ce Tangara écarlate (*Piranga olivacea*), cet Oriole de Baltimore (*Icterus galbula*), ce Cardinal à poitrine rose (*Pheucticus ludovicianus*) ou ce Passerin indigo (*Passerina cyanea*). En fait, avec un peu de persévérance, de travail et d'assiduité, on peut observer, dans un rayon assez restreint, une bonne partie des oiseaux du Québec. Ça vous tente d'en faire l'expérience ?

J'aimerais lancer un défi à quiconque voudra bien le relever. Il consiste à essayer de voir le plus d'espèces possibles dans un rayon de 30 km de votre demeure. Pour voir ce que cela donne, vous prenez une carte géographique, un compas, et vous l'étirez pour obtenir un rayon de 30 km. Puis vous tracez un cercle. Le centre de ce cercle étant votre demeure ou un endroit proche d'où vous voudrez partir pour vos investigations. Ce sera votre terrain de chasse où vous pourrez répertorier le plus d'espèces possible d'oiseaux. Toute espèce vue à l'extérieur de ce cercle ne compte pas. Ce que chacun en tirera : une connaissance plus approfondie de son milieu de vie. Le but de ce défi n'est évidemment pas d'essayer de battre quelque record que ce soit, mais plutôt de se concentrer sur son milieu et de découvrir combien il peut être riche en diversité. Pour parodier un slogan populaire

« La vie vous intéresse ? Alors, joignez nos rangs ».

LA PARTICIPATION

Qui peut participer ? *Individuellement.* N'importe quelle personne peut participer à ce défi. Peu importe que vous en soyez à vos premiers balbutiements dans l'observation des oiseaux ou que vous soyez un observateur aguerri. Le but de ce défi est de donner une motivation additionnelle à des gens qui peuvent se sentir un peu isolés dans leur coin de pays. En partageant ses découvertes, on peut aider les autres à prendre conscience du pourquoi de certains comportements.

En groupe. Ce serait une très bonne idée de faire connaître les observations de votre club ou de votre club d'amis s'il n'existe pas de club proprement dit dans votre région. Ce pourrait être même très intéressant de lancer un défi à un autre groupe d'amis demeurant dans une région éloignée de la vôtre.

Comment faire connaître mes observations ? Pour participer à ce défi, vous devez absolument être participant au forum de discussion québécois sur les oiseaux. Ce forum est gratuit et vous pouvez voir les procédures d'abonnement en cliquant sur Ornitho-qc. Ce forum s'intéresse à toutes les espèces observées au Québec.

Maintenant que je suis membre du forum Ornitho-qc, je fais quoi ensuite ? Délimiter un territoire : il est important de définir soi-même un territoire, de préférence autour de chez soi, et qui

---

SAVEZ-VOUS QUE....

...la Sittelle applique de la résine autour du trou pour empêcher les insectes d'entrer dans la cavité où elle niche. (surtout les fourmis)
Réf: Atlas des Oiseaux Nicheurs du Québec.

deviendra le lieu de nos recherches les plus actives. Pour ma part, un rayon de 30 km, à partir de ma résidence, me permet de visiter plusieurs habitats différents. Et, ce qui est important, ce sont des endroits où j'aime me rendre quand j'ai un moment de libre. Pour certains, ce rayonnement peut se situer à 1 km, à 10 km, à 20 km, etc… Il n'y a pas de règle absolue pour cette distance. Vous êtes en mesure de déterminer votre propre rayon d'action. Cependant, ce qui est très important, c'est de spécifier les limites de votre territoire aux autres participants afin que les compilateurs de cette activité sachent où vont se porter vos efforts. Vous divulguez les limites de ce champ d'action dans votre premier message. Voici un exemple de mon propre territoire :

Pointe-au-Platon 30 km : Rive-Sud du fleuve Saint-Laurent : de Saint-Antoine-de-Tilly à Saint-Pierre-les-Becquets sur le bord du fleuve, tout le territoire bordé à l'ouest par la route 265, à l'est par la route 273 et au sud par l'autoroute 20. Rive Nord du fleuve Saint-Laurent : De Neuville à Sainte-Anne-de-la-Pérade sur le bord du fleuve, tout le territoire borné à l'est par la 367, à l'ouest par la 363 et au nord par la 354.

Faire connaître ses observations. À qui ? : À tous les participants du forum Ornitho-qc ou directement à moi-même.

À quelle fréquence ? : Ceci est laissé à votre discrétion. Normalement, aussitôt que vous observerez une nouvelle espèce annuelle pour votre territoire… ou un comportement digne de mention. Le but n'est pas de rapporter les mêmes espèces jour après jour, mais bien de mentionner au groupe l'AJOUT D'UNE NOUVELLE ESPÈCE. Le rapport peut alors ne faire mention que de cette nouvelle espèce.

Comment ? Ceci est le point le plus important, car, pour garder des statistiques sur chaque cercle d'activité, cela prend une certaine similarité dans la conception des titres. Il est tellement plus facile pour le compilateur, i.e. moi-même, de reconnaître instantanément le contenu du message par le titre. De là, l'importance que les messages envoyés concernant ce défi contiennent dans le titre des éléments permettant de faire le lien tout de suite. Et ceci permet aussi à des personnes habitant votre cercle d'activité de repérer instantanément vos messages et de les lire en priorité. Et, d'un autre côté, ça permet aux personnes non-intéressées par cette activité de passer à un autre message. Je vous demande votre collaboration la plus vigilante afin de faciliter les choses.

EXEMPLE ET MARCHE À SUIVRE

Vous habitez Saint-Reculé du désespoir, petit village fictif de la Côte Nord, situé sur les bords d'un beau cours d'eau tout aussi fictif. Vous décidez qu'un rayonnement de 5 km sera amplement suffisant, vu la diversité d'habitats et vos moyens de locomotion restreints. Votre PREMIER message pourrait donc être construit de la sorte.

Titre : (1) Saint-Reculé : 5 km

J'habite Saint-Reculé-du-désespoir, sur la Côte Nord, et les limites de mon territoire seront : Au sud, le marais de Méo, au nord, le rang Croche, à l'est, le rang du Castor et à l'ouest, la rivière-à-la-Loutre.

(5) Les espèces notées jusqu'ici sont le Moineau domestique, le Grand Corbeau, la Corneille d'Amérique, le Grand-duc d'Amérique et l'Étourneau sansonnet.

Jean Coche
Saint-Reculé-du-Désespoir, QC
jean_coche@videotron.ca

Le DEUXIÈME message pourrait être fait de cette façon :

Titre : (2) Saint-Reculé : 5 km

(9) Dernièrement, j'ai ajouté 4 nouvelles espèces, soit : le Sizerin flammé, le Geai bleu, la Sittelle à poitrine rousse et le Pic mineur. J'ai observé un gros oiseau en vol. Il était tout noir, avait un battement d'aile lent, un vol ondulé, de la grosseur de la Corneille et j'ai cru aussi remarquer du blanc dans les ailes. Est-ce que le Grand Pic peut se rencontrer sur la Côte Nord ?

Jean Coche
Saint-Reculé-du-Désespoir, QC
jean_coche@videotron.ca

À partir de ces deux exemples, vous pouvez remarquer que le titre DOIT OBLIGATOIREMENT être bâti de la même façon. Le chiffre entre parenthèses ( ) indique la séquence de vos messages. Celui qui va compiler les messages selon les territoires pourra savoir s'il a manqué ou non un de vos messages.

Le deuxième chiffre entre parenthèses ( ) au début de votre rapport, dans le corps du message, nous permet de savoir le nombre total d'espèces auquel vous êtes rendu(e) pour l'année. Encore là, ceci aidera le compilateur à savoir s'il manque ou non des espèces sur la liste de statistiques.

J'espère que tout ceci est très clair, mais si des interrogations subsistent encore, contactez-moi à mon adresse électronique.

lavar@videotron.ca

QUELQUES RÉSULTATS

Le défi 30 Km 1999
Liste no 1 des oiseaux observés au Québec. Liste mise à jour par Laval Roy. Dernière mise à jour : 5 Janvier 2000.

Total des espèces (307)
des sous-espèces (4)
des exotiques (9)

Le défi 30 Km 2000
Liste résumée no 1 des oiseaux observés au Québec.
Liste mise à jour par Laval Roy.
Dernière mise à jour : 31 Décembre 2000.

Total des espèces (331)
des sous-espèces (5)
des exotiques (15)

Le défi 30 Km 2001
Liste résumée no 1 des oiseaux observés au Québec
Liste mise à jour par Laval Roy.
Dernière mise à jour : 8 Mai 2001.

Total des espèces (244)
des sous-espèces (3)
des exotiques (6)

Laval Roy

INDEX DES TRAJETS

CENTRE DU QUÉBEC

- Baie-du-Febvre et ses Érismatures rousses

ESTRIE ET BOIS-FRANCS

- Le sanctuaire de Philipsburg et ses Petits Blongios
- L'étang Burbank à Danville et ses Grèbes à bec bigarré
- Le Lac-à-la-Truite et ses Pygargues à tête blanche
- Le marais de la Rivière-aux-Cerises dans le Canton Magog
- Le Mont-Mégantic et ses Grives de Bicknell

ABITIBI

- L'Abitibi grandeur nature
- Le marais de Fiske à Rouyn-Noranda et ses Grèbes jougris
- Barraute et ses Grues du Canada

BAS DU FLEUVE

- Montmagny et la région
- La Pocatière et ses Bruants de Nelson
- Cacouna et ses Guillemots à miroir
- La réserve Nationale de faune de la baie de l'Isle-Verte dans le Bas-Saint-Laurent
- Le parc du Bic et ses Grives à dos olive

LAC SAINT-JEAN

- Le marais de Saint-Gédéon

SPÉCIAL URUBU À TÊTE ROUGE

- Les Urubus à tête rouge dans la région de Lanaudière et à Rigaud

Montréal
Le sud-est et son fleuve à découvrir

Par Yves Gauthier

Comme sur tout le reste de l'île, le développement domiciliaire et industriel s'est accaparé la majorité du territoire, en laissant peu aux oiseaux et de ce fait, aux ornithologues. Les sites propices à l'observation des passereaux se comptent sur les doigts d'une seule main. Les accès aux berges du fleuve Saint-Laurent et à celles de la Rivière-des-Prairies sont également très restreints.

SITE 1
PROMENADE BELLERIVE

Débutons notre petit périple par la rue Notre-Dame au niveau de la rue Taillon. Cette rue mène à la promenade Bellerive, où l'on peut stationner aisément. L'endroit donne accès à un long parc dénudé qui offre une belle vue sur le fleuve et les Grandes Battures Thallandier situées dans les Îles de Boucherville.

Un télescope est indispensable. Une heure investie tôt le matin constitue la meilleure stratégie. Pas de grands rassemblements ici, mais en visitant l'endroit régulièrement on réussit, à moyen terme, à observer une bonne variété d'oiseaux aquatiques. L'hiver on peut tenter d'identifier les Buses à queue rousse et pattue qui patrouillent le secteur et se perchent à la cime des arbres. Quelques fois, le Busard Saint-Martin s'y laisse voir alors que le Harfang des neiges peut être entrevu, posé sur des glaces à la dérive. Dans les portions d'eau libres de glace, les Grands Harles et les Garrots à oeil d'or et quelques barboteurs dérivent avec les courants.

Avec l'arrivée du printemps le nombre de canards se multiplie et la majorité des barboteurs pourra être vue en petits nombres. L'Harelde kakawi y est aperçu à l'occasion tandis que les voiliers de bernaches et d'Oies des neiges passent en vol. Huarts à collier (en migration), Grands Hérons, cormorans, Sternes pierregarin, sans compter les hordes de Goélands à bec cerclé font partie du menu quotidien. À l'occasion, quelques Mouettes de Bonaparte font leur apparition.

L'été, toutes les espèces d'hirondelles finissent par passer en ces lieux. Avec un peu de chance on pourra voir circuler quelques Sternes caspiennes et Sternes pierregarin ou une Grande Aigrette. Chevaliers grivelé et Pluvier kildir sont les seuls limicoles susceptibles de fréquenter le site.

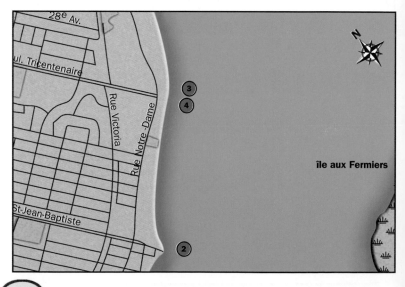

L'automne amène une plus grande diversité en espèces aquatiques. En octobre et novembre, les trois espèces de macreuses peuvent y être vues en petits nombres.

SITE 2

BOULEVARD SAINT-JEAN-BAPTISTE

Toujours par Notre-Dame, dirETION est, on roule jusqu'au boulevard Saint-Jean-Baptiste et l'on tourne à droite. On arrive immédiatement au fleuve. Le stationnement y est aisé, on peut même descendre en voiture vers le petit quai situé au bout du boulevard, quoique à cet endroit l'espace y soit assez restreint. Un petit parc, orné de grands arbres claisemés, et pourvu de bancs offre un endroit idéal pour installer son télescope.

SITE 3

PARC NEUVILLE-SUR-VANNES

On reprend la rue Notre-Dame vers l'est pour rouler environ un demi-kilomètre jusqu'à un minuscule parc urbain situé à droite de la rue. Il est identifié par un panneau suspendu placé par la ville. Véritable petit oasis de paix entre deux belles propriétés qui feront l'envie des ornithologues de par leur situation privilégiée sur le fleuve.

SITE 4

LA BRASSERIE «AU BISTROT DES JARDINS»

Plus à l'est encore sur Notre-Dame, tout juste après le boulevard du Tricentenaire, côté droit se trouve une brasserie. On accède à un vaste stationnement en tournant immédiatement après la brasserie. Une vue imprenable sur le fleuve s'offre à vous. Au large, l'Île-aux-Fermiers ; à droite une petite île sans nom qui attire une bonne variété d'oiseaux.

Dans le texte qui suit, ces trois sites seront désignés respectivement par les lettres A, B et C et l'Île-aux-Fermiers sera désignée par l'acronyme IAF.

L'IAF abrite une population très élevée de petits rongeurs qui, en retour, attirent un grand nombre d'oiseaux de proies, particulièrement au cours des migrations et durant la période hivernale. À ces moments, l'espèce la plus commune est sans contredit la Buse pattue. On note fréquemment 4 ou 5 de ces oiseaux patrouillant l'île d'un bout à l'autre, et il n'est pas rare d'en compter jusqu'à 12. La Buse à queue rousse s'y observe régulièrement ainsi que le Busard Saint-Martin. Les crécerelles, plus difficile à localiser à cause de la grande distance, s'y manifestent également. Mais le spectacle est surtout donné par les Hiboux des marais,(espèce préoccupante), qui nichent sur l'île. À l'été 2001, au moins trois couples nicheurs y étaient présents. Leur vol erratique soutenu par d'amples battements d'ailes les rend reconnaissables de très loin. Avec les jeunes qui s'ajoutent aux adultes, cela entraîne des rassemblements comme on en voit rarement ailleurs. Le 19 décembre 1999, on y a compté jusqu'à 9 oiseaux.

À l'été 2000, un couple de Faucons pèlerins avait élu domicile dans l'un des grands pylônes qui repose sur l'île. Hirondelles, goglus, carouges, sarcelles et limicoles constituaient un garde-manger très bien garni pour ce chasseur spectaculaire.

Au site « C », en aval de la petite île sans nom, se forme au fil des jours d'été, une vaste zone de végétation aquatique. Cet endroit devient un lieu de prédilection pour les canards barboteurs. En plus d'une nourriture abondante, les anatidés sont assuré de ne pas y être dérangé et ce, malgré le passage incessant des embarcations motorisées tout autour de la zone en question. Au plus fort de la saison, en août, le sport national consiste à démêler les différentes espèces de canards parmi les centaines qui s'y trouvent. Les mâles en plumage éclipse, les femelles anonymes et les immatures tous aussi bruns les uns que les autres, présentent un défi intéressant pour qui veut y mettre du temps. Les Canards colverts abondent, mais on y retrouve aussi, en nombres plus restreints, plusieurs Canard chipeaux, noirs, d'Amérique, pilets, souchets et Sarcelles d'hiver. À l'occasion s'ajoutent un ou deux branchus, quelques Fuligules à tête rouge et Sarcelles à ailes bleues. Depuis peu, le nombre de Bernaches du Canada augmente sensiblement d'année en année. Elles nichent sur maintes îles avoisinantes et dès le mois de juin, on peut y voir de nombreuses couvées un peu partout.

Tout l'été, les Sternes pierregarin volent et pêchent sous nos yeux. Les Grands Hérons se mêlent aux bandes de canards tandis que les bihoreaux et les butors passent en vol en fin de journée. Avec un peu de chance, on y verra également quelques Mouettes de Bonaparte.

Quand le niveau de l'eau baisse, les rivages mis à nu attirent quelques limicoles, surtout au site « C ». Si le Pluvier kildir et le

Chevalier grivelé nichent en ces lieux, les autres espèces d'oiseaux de rivages passent de juillet à octobre. On peut y observer les Grands et Petits Chevaliers, la bécassine, les Bécasseaux minuscules et semipalmés. En octobre 1997, un Phalarope à bec étroit y a fait une courte incursion.

À la pointe de l'IAF, les Cormorans à aigrettes occupent souvent les roches émergentes. En été, les Sternes caspiennes y font aussi quelques visites.

Plus tard, à l'automne, une surveillance quotidienne, tôt le matin, peu engendrer de belles trouvailles : Fou de bassan, Mouette tridactyle, en plus des trois espèces de macreuses, du kakawi et du Plongeon catmarin.

Sur la terre ferme, en bordure des rives, plusieurs espèces de passereaux animent les lieux. Le Moqueur polyglotte niche régulièrement aux site « B ou C ». Viréos mélodieux, Tyrans tritri, Merles d'Amérique, Étourneaux sansonnets, Corneilles d'Amérique, Chardonnerets jaunes, Roselins familiers, Carouges à épaulettes, Quiscales bronzés, Vachers à tête brune, Moineaux domestiques, Orioles de Baltimore, Parulines jaunes, Bruants chanteurs et hirondelles font presque tous partie du menu quotidien à l'été.

Tourterelles, Pics flamboyants et mineurs, Martinets ramoneurs et Engoulevents d'Amérique s'ajoutent à cette liste déjà passablement bien garnie.

Bref, une visite en ces lieux nous laisse rarement sur notre appétit.

Le jardin Botanique de montréal
et ses parulines au printemps
par Michel-Pierre Grenier

En fait, toute espèce parmi les 359 déjà observées dans la grande région de Montréal (selon P. Bannon, 1991) est susceptible d'y être rencontrée.

Au printemps, c'est très tôt le matin, soit avant l'ouverture même du Jardin, que se situent les meilleures heures pour l'observation des oiseaux. Les nombreuses parulines sont omniprésentes; voyageuses impénitentes, elles sont sans cesse à la recherche, du moindre insecte pouvant assurer leur pitance.

Presqu'à tous les ans, une espèce rare y est signalée; il arrive parfois qu'un oiseau de compagnie échappé s'y retrouve pour la simple raison que c'est l'espace vert le plus important de la région et que le jardin constitue un vrai garde-manger pour toute espèce aviaire visiteuse. L'hiver, un réseau de postes d'alimentation est entretenu et la majorité des espèces hivernales s'y retrouvent.

Petits conseils : des frais d'entrée sont de rigueur, de plus les stationnements sont aussi payants. Il est donc préférable d'utiliser les transports en commun car le stationnement sur les rues avoisinantes est presque impossible. À ne pas oublier qu'il s'agit aussi d'un lieu touristique donc les visiteurs sont nombreux les fins de semaine ainsi que les jours fériés. Toutes les commodités sont offertes : restaurant, boutique de souvenirs, toilettes ainsi que dans le jardin même, de nombreuses aires de repos.

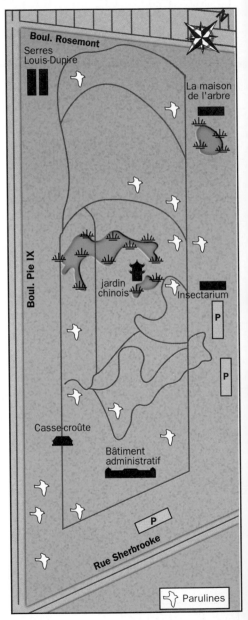

Le Cimetière du Mont-Royal
et son Petit-duc maculé (Montréal)

Otus asio

Selon la « Société québécoise de protection des oiseaux » plus de 150 espèces d'oiseaux visitent ce coin de « Paradis ». Le Cimetière du Mont-Royal constitue un lieu de rencontres privilégiées pour la faune aviaire, grâce à sa grande variété d'arbustes à fleurs, d'arbres fruitiers et de forêts mixtes. C'est lors des migrations du printemps et de l'automne qu'il est le plus profitable de visiter ce lieu.

Depuis quelques années le Petit-duc maculé niche à cet endroit. Son lieu de nidification varie cependant d'une année à l'autre ; soit

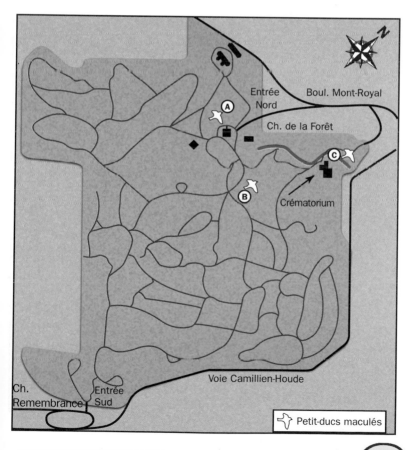

dans les secteurs A, B ou C ; 2 nichoirs conçus pour le Petit-duc ont été placés dans de grands arbres. Un premier au site A près du chemin de la Forêt, à droite de l'entrée nord et un deuxième, le site B, un peu à l'est du crématorium. Concernant le site C, il s'agit plutôt d'un trou dans un bouleau. Ces arbres se retrouvent un peu à l'ouest du tombeau de la famille « Molson ».

L'accès est possible en tout temps, cependant pour circuler en voiture, les grilles sont ouvertes de 9 à 17 heures (sauf le dimanche).

Pour les visites en groupe, il est suggéré de prendre des arrangements avec les autorités afin de ne pas nuire à certaines cérémonies.

De plus on y trouve certaines infrastructures pour les visiteurs. Vous savez les toilettes, c'est important. Et l'hiver à -20°C, un endroit pour se réchauffer avec un bon café, c'est aussi agréable.

(514) 279-7358.

Et au printemps une table de pique-nique ? Ils peuvent vous la prêter...

Le parc de la nature du-bois-de-l'île-bizard
et ses Hérons verts

Butorides virescens

Véritable carrefour de migration pour notre faune aviaire, très certainement à cause de sa situation géographique. Vedette aux sites 1 et 2 le Héron vert est souvent perché, donc facile pour l'observation. À la fin de journée, au printemps, il n'est pas rare d'entendre son *kiouk* fort et aigu; d'ailleurs de nombreux couples se forment pour la nouvelle saison en ce lieu. L'été il est plus discret; très tôt le matin on l'observe, mais il est silencieux et furtif.

Aux sites 3 et 4 de nombreuses Hirondelles bicolores s'activent et quelques Hérons verts nettoient les berges des batraciens ou de petits alevins trop téméraires et aventuriers.

Le site 5 est plutôt réservépour le plaisir des yeux et pour profiter de la brise continuelle.

Quelques petits passereaux fréquentent l'endroit mais parcimonieusement.

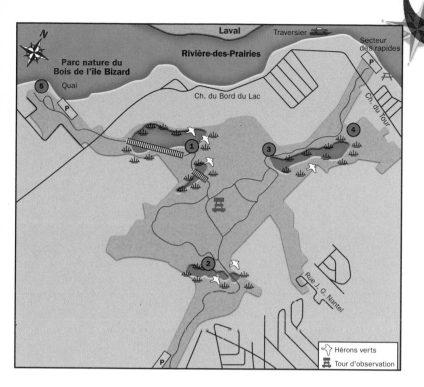

Ce parc est fragile et menacé constamment ; menacé par un terrain de golf qui cherche à prendre de l'expansion et par certains promoteurs immobiliers qui manquent d'espaces pour assouvir leur passion du « LEGO ». Le milieu est fragile et est menacé par certains mordus des pesticides et insecticides qui ont comme leitmotiv :

« La campagne oui, les insectes non ! »

LES ÎLES DE BOUCHERVILLE
ET SES STERNES CASPIENNES

Sterna caspia

Depuis quelques années, en juillet et en août nous bénéficions de leur présence. Elles sont très visibles sur le fleuve Saint-Laurent, à partir du radar (site 1). De par sa taille la Sterne caspienne est impressionnante : avec une longueur moyenne de 53 centimètres et une envergure de 127 centimètres, vous ne pouvez pas la manquer. Elle se tient toujours en petites bandes de 5 à 10 individus et se repose sur les récifs à fleur d'eau. La meilleure occasion pour l'identifier aisément, c'est lorsqu'elle est en présence de ses parentes, les Sternes pierregarin, qui elles mesurent à peine 37 centimètres de longueur pour une envergure de 76 centimètres. Il est à noter que leur présence sur le fleuve et la région est de plus en plus étendue ; Beauharnois, Îles-de-la-Paix sont des sites qui la reçoivent aussi annuellement. Peut-être qu'un jour un couple nous fera le plaisir de nicher.

Pour le site 2, en bordure du chemin de gravier il y a le Grèbe à bec bigarré qui niche en toute insouciance et indifférente à la présence humaine. Plus loin dans l'anse, c'est la Gallinule poule-d'eau qui y loge. Butor d'Amérique, Grand Héron, Grande Aigrette, Râle de Virginie et Marouette de Caroline, tous sont là qui n'attendent qu'à être observés et admirés. Le site 3 vous offre la présence des canards barboteurs ; il arrive même que certains canards plongeurs aiment assez la place pour y passer la saison estivale.

L'automne, les différentes baies et anses de cette pointe sont utilisées comme aire de repos pour les migrateurs. Les îles sont annuellement visitées par plus de 200 espèces d'oiseaux. La Petite Nyctale et le Hibou moyen-duc y ont leurs quartiers d'hiver.

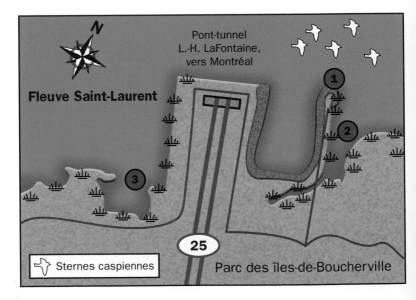

l'Île-aux-fermiers

et ses Fuligules à tête rouge

Aythya americana

Certainement la plus riche des îles dans le fleuve, du côte faune aviaire. La diversité des espèces est des plus intéressantes : les Fuligules à tête rouge niche à cet endroit depuis de nombreuses années, et il n'est pas le seul ; Petit Blongios, Butor d'Amérique, Guifette noire, Hibou des marais, Troglodyte des marais, Goglu des prés ainsi que plusieurs espèces de bruants ; tous ont adopté cet endroit pour leur reproduction. Pour le Fuligule à tête rouge et la majorité des canards barboteurs qui y nichent, le meilleur endroit sur l'île reste sans contredit le grand marais situé au centre nord de l'île. Tout près, se dresse un phare avec échelle que vous pouvez utiliser.

Cette île mesure 3 kilomètres par 0,6 kilomètre et est située entre Boucherville et Varennes ; de plus l'île est aussi utilisée comme pâturage l'été pour un centaine de bovins. On y accède par bateau seulement et des bottes imperméables sont recommandées car vous débarquerez sur une rive boueuse et le terrain de l'île est souvent inondé, surtout près des marais.

Comme l'espèce dominante est le Goglu des prés et qu'il niche au sol, le déplacement à pied est très délicat. Les sentiers pour circuler ne sont pas visibles. Je vous

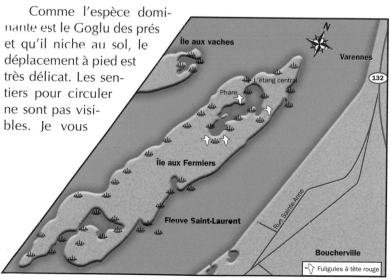

Île aux vaches

Varennes

132

L'étang central

Phare

Île aux Fermiers

Rue Sainte-Anne

Fleuve Saint-Laurent

Boucherville

Fuligules à tête rouge

recommande de vous faire accompagner lors d'une première visite et surtout si vous ne possédez pas d'embarcation: M. Martin Picard offre ses services comme guide ornithologique journalier dans ce tronçon du Fleuve. L'Île-aux-Fermiers est une de ses destinations de choix.

Pour le contacter :
450-655-7075

LE RAPIDE-PLAT
ET SES LIMICOLES (SAINT-HYACINTHE)

Par François Bourret

Le Rapide-plat se trouve dans la région de Saint-Hyacinthe. La région est très agricole. Des champs à perte de vue vous entourent, parsemés de boisés ici et là. L'observation d'oiseaux y est propice à l'année longue. Le Rapide-Plat est un des meilleurs endroits de la région en ce qui concerne la période de la fin juin au début octobre. Le Rapide-Plat est accessible par deux endroits : la rive Nord et la rive Sud.

Note : Faites bien attention, lorsque vous êtes au Rapide-Plat-Nord vous voyez la section sud tandis qu'au Rapide-Sud vous voyez la section nord.

RAPIDE-PLAT NORD

À partir de l'autoroute 20 prenez la sortie 133, tournez vers le nord sur la rue Girouard, celle-ci devient le Rapide-Plat Nord (ou chemin de la Rivière Yamaska Nord) après la rue Martineau ; au bout du rang, face à la ferme, tournez à droite sur le chemin Saint-Barnabé et continuez jusqu'au fond de la rue de l'Anse. En bas de la côte, il y a un câble qui bloque le coin de la rue. Stationnez sur l'accotement ou devant le câble. Vous pouvez franchir le câble et prendre le petit sentier vers le sud. Ce sentier appartient à la municipalité. Descendez sur la rive. À cet endroit, la rivière est très large et peu profonde. Marchez sur la rive en remontant la rivière jusqu'au vieux mur de ciment. En juillet et en août, des centaines de Petits Chevaliers tapissent la rivière. Quelquefois, un Bécasseau à échasses se démarque du nombre. Vers la fin août, les Bécasseaux à poitrine cendrée prennent le relais. Un Phalarope à bec large y a déja été observé. Toujours du mur de ciment, scrutez la rive opposée à la recherche des Chevaliers solitaires et du Héron vert (on en a déjà compté 16), À l'occasion, vous y verrez le Tournepierre. Le Balbuzard pêcheur se tient perché sur les arbres. Un Faucon pèlerin ou un Faucon émerillon peut surgir à tout moment et faire décoller les bécasseaux. En septembre 1989, un Ibis falcinelle y a été vu. Si vous n'êtes pas pressé, installez-vous confortablement sur une roche et comptez les bécasseaux. Vous resterez surpris du nombre que vous

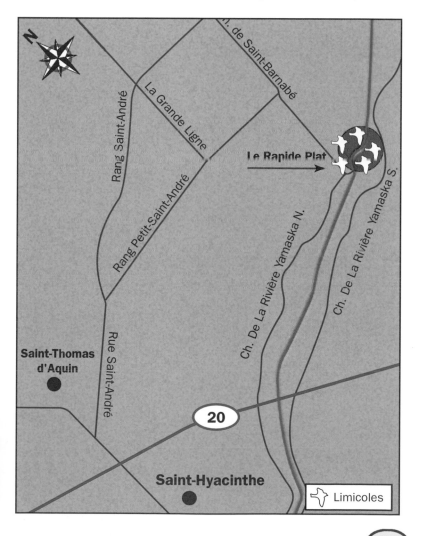

obtiendrez. Quelques 765 Petits Chevaliers y ont déjà été comptés (incluant ceux du Rapide-Plat Sud). Personnellement, je me rends souvent en famille en fin de journée pour pique-niquer. Le soleil est bien placé à ce moment et l'endroit est tranquille. À la brunante, on peut apercevoir un Grand-duc puis voir les étoiles s'allumer une à une tout de suite après la planète Jupiter et ses quatre plus grosses lunes. Revenez sur vos pas jusqu'au point de départ. Regardez sur la rive opposée. Il y a un ruisseau qui se déverse dans la rivière. Le gravier s'y accumule. Quatre espèces de pluviers peuvent y être observés ainsi que les Bécasseaux de Baird, Sanderling et Maubèche.

RAPIDE-PLAT SUD :
Vu du Rapide-Plat Nord

Vous pouvez prendre à pied le chemin qui mène à l'est. C'est un chemin privé qui dessert deux chalets. Au bout du chemin (environ 300 mètres) descendez sur la grève.

Vous aurez alors une vue splendide sur la rivière et sur ce que nous appelons le Rapide-Plat Sud. 25 des 26 espèces des bécasseaux de la région y ont été vus dont le Courlis corlieu, la Barge hudsonienne, le Bécassin à long bec, le Phalarope de Wilson et le Phalarope à bec étroit. Les bonnes journées vous pourrez voir 13 espèces. Outre les deux espèces de faucon et le balbuzard mentionnés précédemment, vous pourrez observer l'urubu, le pygargue, le busard, les trois espèces d'éperviers et les quatres espèces de buses. Si le niveau de l'eau est bas et que vous avez des bottes, il est possible de traverser la rivière. Toutefois, les roches sont très glissantes. Faites attention à ne pas faire fuir les oiseaux. C'est une façon originale de se rendre au Rapide-Plat Sud.

RAPIDE-PLAT SUD

L'autre façon de s'y rendre, c'est de refaire le chemin en sens inverse, de reprendre l'autoroute 20 en direction de Québec, puis la sortie 134. Prenez la rue Yamaska vers le nord qui devient Rapide-Plat Sud (ou Chemin de la rivière Yamaska-Sud) puis le 1er Rang la municipalité de Sainte-Rosalie. Jusqu'à tout récemment, on pouvait stationner près des fondations d'un ancien bâtiment, quelques centaines de pieds après la Route Grégoire. Il se peut que ce ne soit plus le cas. Vous devrez alors stationner sur l'accotement (très réduit) ou sur la Route Grégoire (moins fréquentée) et vous rendre à pied. Vous pouvez descendre à pied jusqu'à la rivière en suivant le chemin de terre privé. Le lit rocheux de la rivière est composé de roches sédimentaires appelées « mudshale » à brachiopodes. Les brachiopodes sont des fossiles en forme de petites coquilles. Ils sont présents en grand nombre dans la roche friable de cette section. Vous pouvez marcher en descendant la rivière jusqu'au méandre, des îlots parsèment la rivière.

Il est possible d'y faire des découvertes. Vous pouvez vous rendre jusqu'au dernier îlot.

AUTRES SAISONS

Le Rapide-Plat peut réserver des surprises en toutes saisons. Au printemps, les canards s'y attardent. Des canards plongeurs tels les fuligules, les garrots et le harles (les 3 espèces) y sont vus régulièrement, surtout au Rapide-Plat-Sud près des îlots. En mai, des bécasseaux y font halte lors de leur retour du sud vers le nord. Le Bécasseau variable, le Bécasseau maubèche et le Bécassin roux peuvent y être contemplés dans leur plumage nuptial.

Note : Cet article de François Bourret est déjà paru dans *Harmonies d'Oiseaux* (vol 1, n°3).

LE LAC DE LA CITÉ
ET SES PARULINES D'AUTOMNE (SAINT-HUBERT)
Par Raymond Belhumeur

FASCINANTES CABRIOLES

Bientôt les mouvements migratoires vont tenir en haleine tous les « orniguetteurs ». Cet espace vert urbain de Saint-Hubert est prolifique pour une catégorie de passereaux que j'affectionne particulièrement, les parulines. À l'automne, elles sont nombreuses à se présenter au Lac de la Cité de Saint-Hubert puisqu'elles y trouvent un habitat propice à satisfaire leurs besoins de base : couvert de végétal humide et nourriture abondante. En effet, cette ancienne tourbière asséchée est parsemée principalement de Bouleaux gris, de Peupliers deltoïdes et d'arbustes tels que l'Aulne rugueux, le Nerprun bourdaine et le Saule arbustif. Leur passage s'échelonne sur près de 2 mois et plusieurs visites sont nécessaires pour être témoin de l'arrivée du pic migratoire au début de septembre.

Sur le croquis, les deux meilleurs sites sont représentés par le point « A », de chaque côté de la piste cyclable et par le point « B », en empruntant tour à tour les deux sentiers bordant le bras d'eau. Un bémol pour ce site au 7ième rang du décompte des Grands-Sites : le développement domiciliaire se fait menaçant. Espérons l'intervention rapide des citoyens et des intances politiques.

Hâtez-vous donc de venir visiter ce magnifique site et d'y découvrir l'oiseau rare.

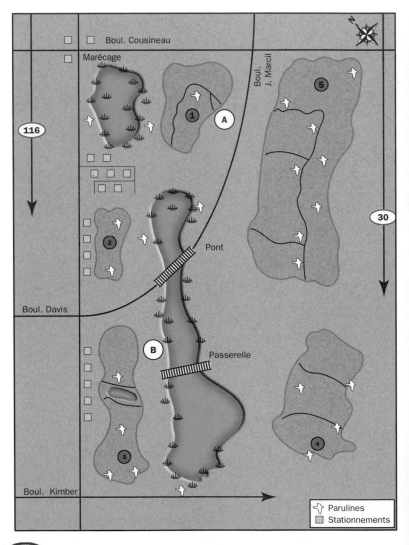

Le refuge faunique Marguerite-d'Youville
(Châteauguay)

« Ce sont 84 espèces d'oiseaux en 84 minutes » serait un titre plus exact. C'est l'expérience vécue avec un ami à cet en droit. Géographiquement bien située et en plein couloir de migrations, l'Île Saint-Bernard offre le gîte à plus de 160 espèces d'oiseaux qui fréquentent assidûment ce refuge et ceci, sans compter ceux qui ne font que passer lors des migrations printanières et automnales. Longtemps propriété privée d'une communauté religieuse, cette île est maintenant ouverte au public, (depuis 2001 seulement) du 23 juin au 31 octobre avec de nombreuses activités écologiques. L'organisme Héritage Saint-Bernard supervise l'endroit avec de nombreux guides et interprètes naturalistes.

À seulement 20 minutes de Montréal par la route 132, les visites sont libres, mais les contributions volontaires sont acceptées; elles permettent d'aménager et protéger ce site naturel qu'est le re-

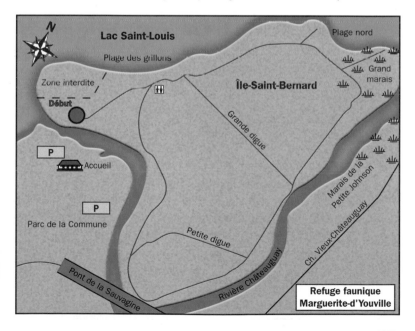

fuge. Des cartes des sentiers sont distribuées à l'entrée pour mieux visiter les 8 kilomètres de pistes diverses. Tout est prévu pour recevoir les visiteurs adéquatement : stationnement, toilettes, aire de pique-nique. On offre même un service de ponton pour une balade sur le Lac Saint-Louis. Comme première année d'activités, déjà un couple de Balbuzard pêcheur adoptait les lieux (mais aucune preuve de nidification) ; ils faisaient la navette avec les Îles-de-la-Paix. Les espèces vedettes, le Canard branchu et la Chouette rayée y nichent ainsi que plusieurs petits passereaux. À partir de l'île on peut aussi apercevoir, l'automne des radeaux de canards plongeurs et barboteurs qui sont de passage sur le Lac Saint-Louis. Le printemps, ce sont les parulines et petits passereaux omniprésents qui sont en vedette et l'hiver les espèces boréales présentes valent à elles seules le déplacement.

Pour une visite sur internet:
http://www.cagechateauguay.ca/heritage/index.html

Centre écologique Fernand-Séguin
(Châteauguay)

Implanté dans une érablière à Caryer, essence typique du sud-ouest du Québec, le boisé permet de mieux connaître le milieu forestier et aviaire de cette région du sud de Montréal.

Accessible par la route 132, ensuite le boul. Anjou qui devient la rue Principale et à gauche, prendre le boul. Brisebois jusqu'au centre écologique.

Tyran huppé, Troglodyte familier et mignon, différentes espèces de grives, parulines et viréos habitent ce boisé. Le Tangara écarlate y niche régulièrement ainsi que divers petits passereaux. Le Grand Pic, omniprésent, aime bien s'y donner en spectacle et laisse régulièrement entendre son cri, surtout au printemps. Comme rapace, cette forêt offre aussi le gîte à l'Épervier brun, la Chouette rayée et parfois à une buse de passage.

Des sentiers aménagés ainsi que des infrastructures sont disponibles. Deux stationnements adjacents, près de l'entrée principale avec un espace de pique-nique sont libres d'accès. L'organisme Héritage Saint-Bernard gère aussi cette réserve ouverte au public toute l'année. Outre la forêt même (voir la carte géographique), le secteur ouest, qui lui n'est pas sur la carte, est constitué de vastes champs en bordure d'un terrain de golf, soit presque 200 hectares qui chevauchent aussi la municipalité de Léry. Donc l'hiver ces lieux deviennent ainsi des endroits idéaux pour y observer des rapaces à l'affût d'une quelconque proie facile.

Les saisons idéales pour l'observation à cet endroit sont le printemps et l'automne. L'hiver par contre il y a beaucoup d'activités pour le public, il donc est préférable d'y aller très tôt le matin, ou encore pendant la semaine.

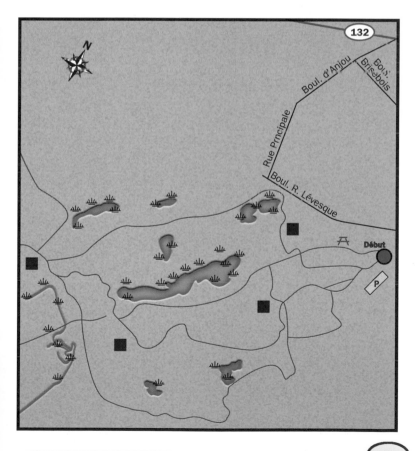

LES ÎLES-DE-LA-PAIX
ET SES GRANDES AIGRETTES (MAPLE-GROVE)

Casmerodius albus

Avril, le ciel est gris, il vente à « écorner les boeufs » comme dit l'aïeul. Un peu tôt pour un autre automne. Je suis au bout de la rue MacDonald dans un vrai milieu humide, et en face un paysage de carte postale à vous glacer le sang; très impressionnant. On se croirait sur un plateau de tournage, celui de « Apocalypse Now » de Francis Ford Coppola.

De grands arbres dénudés, au milieu de nulle part. Mais quelle faune aviaire. Quelques milliers de canards, sarcelles, grèbes, foulques, gallinules habitent cet endroit.

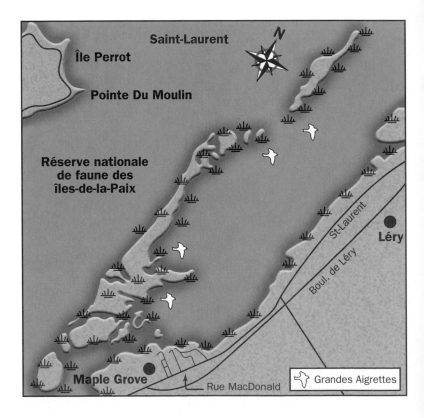

Des rapaces se reposent ou chassent selon le cas, le Balbuzard pêcheur y séjourne toute la saison. Le Grand Héron et la Grande Aigrette se nourrissent sur la berge à qui mieux-mieux. Ah... la patience.

Mais pourquoi une visite à cet endroit pour observer les Grandes Aigrette? Ce n'est pas pour leur nombre mais plutôt pour leur comportement.

Depuis quelques années elles ont un comportement qui indique une possibilité de nidification même si aucun nid n'a été trouvé à ce jour pour la simple raison que l'accès aux îles est très difficile. Au printemps cependant on les voit qui transportent des matériaux pour la construction du nid.

L'endroit se situe à environ 20 kilomètres au sud-ouest de Montréal, dans le lac Saint-Louis, face aux municipalités de Beauharnois, Maple-Grove et Léry.

La superficie est de 120 hectares avec un statut de Réserve nationale de la faune.

Note: Au printemps 2001 on signalait qu'un couple de Balbuzards pêcheur transportait aussi des matériaux pour une nidification possible.

Donc... histoire d'un site à suivre.

Saint-Étienne-de-beauharnois
et ses Hirondelles bicolores et... de rivage
Tachycineta bicolor et Riparia riparia

Des hirondelles, il y en a partout mais là il s'agit d'un lieu de rassemblement annuel. Déjà à fin juillet leur nombre dépasse le 10,000 individus des 2 espèces: les Hirondelles bicolores et de rivage forment la bande et semblent très bien s'entendre. Sur ce chemin du Rang-Rivière-Nord qui leur sert de lieu de rencontre avant un nouveau départ migratoire, leur nombre croît de semaine en semaine. Ce territoire rural est peu habité, et de très nombreuses terres en culture leur fournissent toute la nourriture requise en insectes, et ces grands espaces sont idéals pour terminer l'enseignement et l'art du vol aux jeunes de la saison.

À la fin août, la bande double facilement ses effectifs, ce qui est impressionnant comme spectacle aérien et de voir ployer tous ces fils électriques sous leur poids... Une Hirondelle bicolore pèse 20 grammes en moyenne et une Hirondelle de rivage que 14.6 grammes seulement, mais si vous multipliez le tout par 20,000 et plus à l'occasion... dur, dur pour un filage suspendu.

L'endroit est facile d'accès et n'est qu'à 30 minutes de Montréal. En sortant de Montréal par le pont Mercier, prenez la route 132 direction sud-ouest; rendu à Beauharnois, surveillez pour la route 236 qui se trouve à votre gauche, vous devez passer à côté de l'église, donc le clocher est un bon repaire. Quelques kilomètres plus loin, vous tournez à droite sur le rang Saint-Joseph.

Tant qu'à être dans la région; il y a aussi l'étang de Canard Illimités qui mérite un coup d'oeil, surtout à cette saison. Sur les rangs Trente, Vingt et Dix de nombreux rapaces surveillent ce secteur, et sur la route 236, il est habituel d'y retrouver un policier à l'affût, histoire de contravention pour excès de vitesse. Donc prudence...

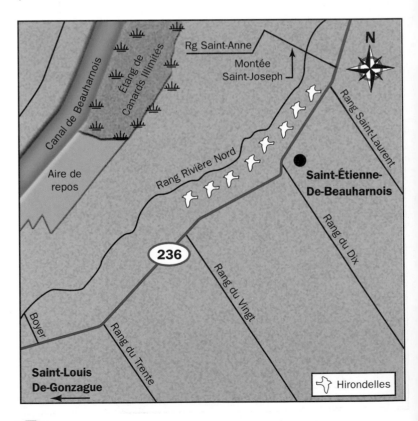

Saint-Antoine-Abbé
et ses Tohis à flancs roux
Pipilo erythrophthalmus

Cette réserve écologique du « Pin rigide » est gérée par le ministère de l'Environnement du Québec. Il est interdit à quiconque de pénétrer dans la réserve sans la permission expresse du ministère. Malgré tout, le Tohi à flancs roux s'observe facilement à partir des différents chemins entourant cette réserve de Pins rigides. (Puis de corbeaux)

Le mois de juin est la meilleure période pour de bonnes observations du fait que le Tohi est plus facilement repérable à cause de ses activités de pariade.

Plusieurs autres espèces intéressantes habitent aussi cet endroit : tels les Engoulevents bois-pourri; par contre, pour observer ces oiseaux, il faut attendre à la fin de la journée pour le début de leurs activités nocturnes.

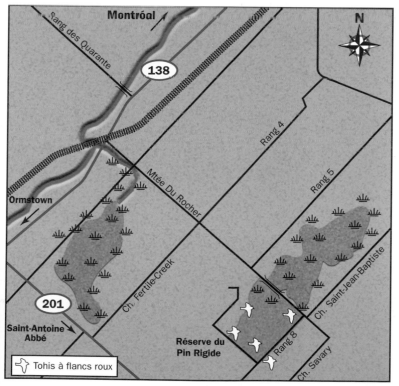

Les autres espèces sont tout particulièrement le Coulicou à bec noir, le Moucherolle des saules, la Grive solitaire, le Moqueur roux, la Paruline à joues grises, le Bruant des champs et le Bruant de Lincoln.

Accès : Pour sortir de Montréal, il est préférable de prendre le pont Mercier et ensuite la route 138 à Châteauguay dans la direction de Howick. Immédiatement après avoir croisé la voie ferrée, il faut touner à gauche sur le chemin Bryson. La réserve est située entre 6 et 7 kilomètres de la route 138. Le meilleur endroit se trouve sur le rang 8 près de la clôture et vous pouvez stationner facilement.

SAINTE-CLOTILDE
ET SES DINDONS SAUVAGES
Meleagris gallopavo

Sainte-Clotilde - 4 h du matin, l'heure bleue, le silence puis un chien qui aboie. Mais non c'est autre chose ? Est-ce lui, le Dindon ? C'est la première fois que je l'entends, mais un doute persiste. Je veux le voir, l'observer. La frénésie me prend. L'oiseau se trouve entre deux chemins, probablement en bordure d'un boisé. Mais où ?

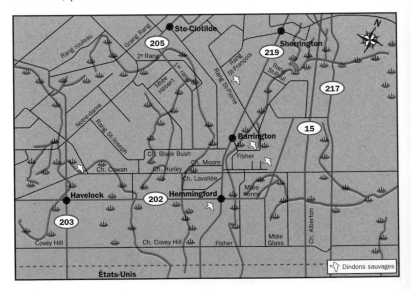

Je franchis l'autre rang. Son chant est si puissant; il est plus loin que je croyais. Rangs par rangs, chemins après chemins, je scrute l'orée des boisés. Je descends de ma voiture, une fois, deux fois, toujours rien ! J'ai le dos tourné, quand mon Dindon invisible se fait entendre à nouveau. Jumelles au cou, lunettes d'approche à l'affût, ma pression monte ; le silence dure et mon sang de « *cocheux* » est en ébullition.

SERAIS-JE LE DINDON DE LA FARCE ?

Le champ, bordé d'une rangée de bois mort, s'étend jusqu'au pied d'une érablière. Une bûche se déplace ! C'est ça, une bûche qui bouge sur la gauche, qui lance un cri... et de plus qui fait la roue avec sa queue. Jumelles-dindon, lunette d'approche-dindon, Peterson-dindon, frénésie-dindon. Ah ! Dindon quand tu nous tiens !

Notes: Pour observer les dindons sauvages, on conseille d'arriver très tôt le matin, en s'armant d'un peu de patience.

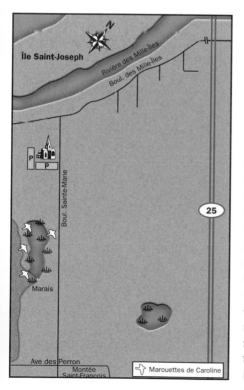

LAVAL
ET SES
MAROUETTES
DE CAROLINE
Porzana carolina

Peu d'endroits sont encore disponibles pour cet oiseau à Laval. Oiseau de marais, et ce mot « marais » ne semble pas faire partie du vocabulaire de la population environnante, et encore moins le terme « milieu humide ». Pour certaines personnes, il s'agit d'une «swamp» nauséabonde pleine de «bibittes» qui piquent. Pourtant ils n'ont pas hésité à construire tout près, et maintenant ils rouspètent.... contre ces insectes. Ce petit marais est pourtant d'une richesse aviaire inouïe; outre la Marouette de Caroline qui fréquente cet Eden depuis de nombreuses années, et qui, nichées après nichées, s'entête à y revenir (malgré l'hostilité des gens du coin) d'autres espèces de ce genre de milieu l'ont adopté comme petit coin de paradis. On a qu'à penser à son cousin le Râle de Virginie, dont souvent les jeunes se côtoient l'été et ce malgré l'aversion des parents l'un pour l'autre. Et à la fin de la journée il y a toujours ce bruit puissant « d'une ancienne pompe à eau » que l'on peut entendre : il n'y a pas à dire ce Butor d'Amérique ne prêche pas par discrétion.

Il y a aussi madame colvert qui adore la visite et aime présenter sa progéniture... vous savez comment sont les parents.

Autre chose intéressante : au crépuscule restez un peu pour le plaisir de la chose, et vous serez témoin de la présence de nombreuses chauves-souris brunes. Il y a une petite colonie qui habite tout près.

MIRABEL ET LA RÉGION
par Gilles Langlais

Probablement la région la plus intéressante du Québec. Territoire laboratoire suite à l'implantation de l'Aéroport de Mirabel, espace défriché à outrance. Le milieu a complètement été bouleversé ; par contre la faune aviaire a résisté. On peut même dire que certaines espèces ont profité de la situation. Avant cette opération d'envergure, dans le seul secteur de l'aéroport, un recensement signalait la présence de 95 espèces d'oiseaux. Quinze ans plus tard 120 espèces habitent ce seul secteur. Les parulines se retrouvent maintenant au nord de la route 158 tout comme la majorité des passereaux. Les rapaces sont aussi davantage présents. Comme atouts, de grands champs leur servent de territoire de chasse et de nombreux perchoirs les invitent pour un repos ou le temps d'une chasse. Goglus, sturnelles et bruants en sont aussi les vedettes.

Le secteur au nord de la route 158 est un lieu idéal pour abriter une grande diversité d'oiseaux. Ici nous sommes au pied des Laurentides. La Rivière du Nord joue un rôle important ; tous les printemps elle déborde et inonde une partie de la région ; comme les glaces sur les flancs de montagnes fondent par la même occasion, le Chemin de-la-Rivière-du-Nord devient quasiment impraticable pour un certain temps.

Plusieurs trésors aviaires sont à découvrir dans ce territoire. Au printemps, sur le rang Sainte-Marguerite, entre la montée Guénette et la route 117, les champs inondés accueillent les Oies des neiges, Bernaches du Canada et la majorité des canards y sont représentés. L'espace compris entre le pied des montagnes et la Rivière du Nord sert de halte aux nombreux passereaux avant leur invasion pour un territoire plus nordique. Entre 10 h. le matin et 14 h 30, au dessus

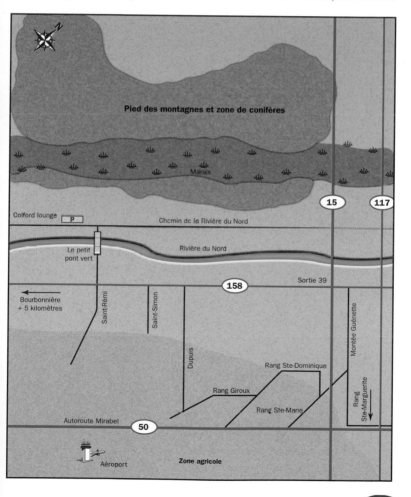

du chemin de-la-Rivière-du-Nord et ce, grâce à de nombreux courants d'air chaud, vous êtes assurés d'y observer des Urubus à tête rouge et des buses de diverses espèces. En face du Colford Lounge, un petit étang reçoit régulièrement la visite d'un Balbuzard pêcheur depuis de nombreuses années. Les alentours de cet étang sont fréquentés par les Butors d 'Amérique. On y observe aussi le Râle de Virginie et la Marouette de Caroline.

Les Engoulevent bois-pourri sont légions à la nuit tombante ; installez-vous dans le stationnement du Colford Lounge ; vous ne pouvez pas les manquer, ils viennent se réchauffer sur l'asphalte encore tiède. Six espèces d'hirondelles nous visitent au Québec. Allez sur le pont de métal peint en vert et vous les verrez. Si par hasard wous manquez l'Hirondelle à ailes hérissées, allez sur le tablier du pont, il y a toujours du sable, et avec votre pied, poussez-le dans la rivière ; elle viendra voir ce qui se passe.

Quant à la Paruline des pins, c'est sur la rue Bourbonnière qu'elle niche. Très tôt le matin elle est active mais après 8 h. du matin, elle est plutôt discrète. Pour les Bruants vespéraux c'est au sud de la route 158 dans les sablières qu'ils ont élus domicile, ils cohabitent avec les Passerins indigo qui eux, sont à l'orée du bois.

Tous les ans plus de 200 espèces d'oiseaux passent dans ce secteur privilégié.

Toutes les espèces aviaires hivernales peuvent être rencontrées dans ce secteur très particulier, mais malheureusement négligé par les observateurs. Probablement du fait de sa situation géographique pourtant si facile d'accès. À Seulement 30 minutes de Montréal par l'autoroute 15.

LACHUTE
ET SES TYRANS TRITRI

Tyrannus tyrannus

Qui n'a jamais observé de Tyran tritri ? je sais que tout le monde en observe au moins une centaine par saison. Posons la question autrement : tout le monde sait que le tyran tritri a une petite barre rouge au centre de la tête ; quels sont ceux qui l'on déjà contemplée ? Pas beaucoup de monde à ce que je vois.

...ET SA FAMEUSE BARRE ROUGE

Pourquoi cet endroit est-il plus propice à cette observation ? C'est simplement une question de position entre le lieu d'observation et les tyrans, lorsque vous les voyez : ils sont de 2 à 5 mètres plus bas que vous ; donc le dessus de la tête est à portée de jumelles. La température idéale pour bien voir cette barre est une journée de bruine ou encore légèrement pluvieuse ; vous savez celle ou il faut faire fonctionner les essuie-glaces par sécurité mais où il n'y a pas assez d'eau pour un bon fonctionnement.

L'endroit est facile à trouver: prenez la sortie 39 de l'autoroute 15 en direction de Lachute, environ de 20 kilomètres à rouler et 2

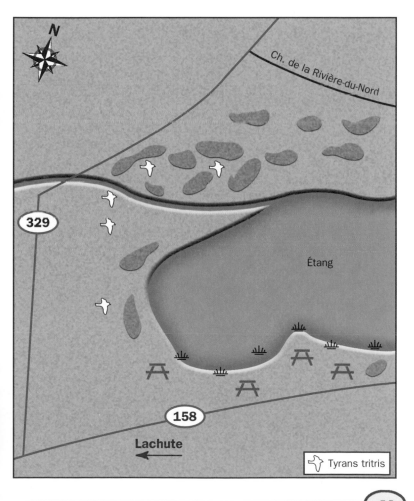

kilomètres avant la ville de Lachute. Ensuite profitez-en pour revenir par le chemin de la Rivière-du-Nord où beaucoup de surprises aviaires vous y attendent. Ce lieu est aussi une aire de repos où de nombreuses tables de pique-nique sont disponibles ainsi que des toilettes sèches. Et de l'autre côté de la route 329, il y a même un restaurant pour ceux qui préfèrent un repas chaud.

À noter que dans ce cas précis, la température idéale reste une journée pluvieuse d'août ou de septembre. Je me répète encore, mais toutes les températures sont bonnes pour faire de l'observation.

Baie-du-febvre
et ses Érismatures rousses
Oxyura jamaicensis

Pour moi, c'est le plus beau de nos canards. Il mesure à peine 38 centimètres de long. Un canard plutôt trapu. D'avril à août il affiche un plumage éclatant : sa tête noire, large et massive avec un début de corne (qu'il n'a pourtant pas), de grosses joues blanches, le corps roux et lourdaud. Et le bec maintenant : assez large et d'un beau bleu poudre quasiment phosphorescent ; enfin un vrai bec de canard. Quand le soleil se couche, tranquillement le paysage fait place à la noirceur, et les derniers contacts visuels, ce sont ces becs encore visibles qui nous les offrent.

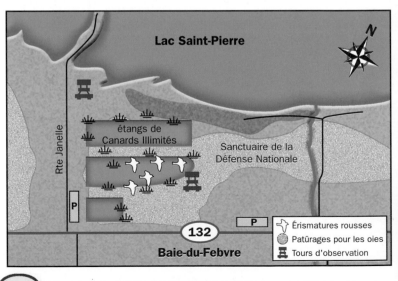

Baie-du-Febvre. L'endroit est surtout reconnu pour ses fameuses migrations d'Oies des neiges au printemps ; pourtant il y a de l'activité à l'année longue.

Fin juillet et début août sont les meilleures semaines pour observer ces érismatures plongeuses inlassables (mâles, femelles, et rejetons qui s'activent à bien suivre les leçons de vie de leurs parents, pour une autre journée d'apprentissage).

Plutôt adepte de marais salés, ici il fait exception à la règle. Tous les ans, de petites bandes (des familles) sont signalées à cet endroit. En juillet 2001 un groupe d'observateurs de Longueuil dénombrait une quinzaine d'individus ; et ces signalements d'érismatures se font tous les ans.

L'accès est ouvert au public à longueur d'année. On y trouve aussi des restaurants ainsi que de l'essence et des aires de repos.

Règle générale, pour une seule journée d'observation d'oiseaux dans la région, on peut facilement inventorier plus de 60 espèces qui fréquentent ce secteur du Lac Saint-Pierre.

SANCTUAIRE DE PHILIPSBURG
ET SES PETITS BLONGIOS

Ixobrychus exillis

Ce site se trouve dans l'extrême sud du Québec. Il est adjacent à la frontière canado-américaine et tout le refuge se trouve sur des propriétés privées dont une partie appartient à la S.Q.P.O. Les sentiers du refuge ainsi qu'un réseau de nichoirs sont entretenus par cet organisme. À partir de Montréal on se rend au site par la route 133, accessible par l'autoroute 35 sud.

Plus de 180 espèces d'oiseaux ont été répertoriées à cet endroit et plus d'une centaine y niche. Plusieurs des espèces qui fréquentent ce sanctuaire sont des espères rares. Telles la Paruline azurée, l'Épervier de Cooper, le Viréo à gorge jaune et quelques autres tout aussi intéressantes. La grande diversité des habitats favorise leur présence.

Le Petit Blongios qui fréquente cet endroit d'une façon régulière en est l'oiseau vedette. Par contre pour l'observer certaines conditions sont à respecter.

Pour débuter il est préférable de visiter l'endroit au préalable pour se familiariser avec le terrain, du fait qu'il faille se rendre à la cache indiquée une heure avant le lever du soleil pour mieux s'intégrer au décor. L'endroit se trouve à droite du stationnement et le terrain est souvent inondé. Pour l'occasion il vaut mieux s'équiper d'une lampe de poche.

Comme l'oiseau est très furtif, le silence est de rigueur, la cache n'est jamais barrée, vous pouvez vous installer à l'intérieur et attendre que le jour se lève et que l'oiseau veuille bien se présenter.

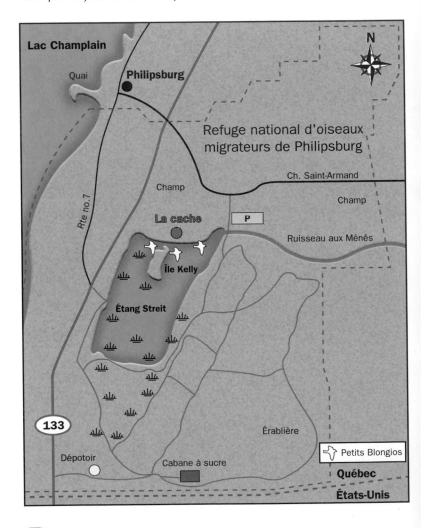

L'ÉTANG BURBANK
ET SES GRÈBES À BEC BIGARRÉ
Podilymbus podiceps

Entre Richmond et Victoriaville sur la route 116, il faut prendre la 255 Sud et parcourir 1,4 km jusqu'à l'hôtel de ville de Danville où se trouve aussi le centre d'interprétation de l'étang Burbank.

Au printemps, plus de 16 espèces de canards fréquentent l'endroit. À partir de la mi-mai le marais accueille beaucoup d'espèces aquatiques dont une très forte concentration de Grèbes à bec bigarré. Sarcelles à ailes bleues, Butors d'Amérique, Gallinules Poule-d'eau, Râles de Virginie, Marouettes de Caroline, Troglodytes des marais, tous peuvent être observés. Par contre l'espèce dominante et la plus représentative reste sans contredit la Grèbe à bec bigarré. En effet, de nombreux couples nichent à cet endroit.

Le belvédère d'observation (site 1) est le premier endroit à visiter. Des grèbes et canards se trouvent dans cette partie ouverte de l'étang. En continuant sur ce sentier, une passerelle de 300 mètres vous permet de circuler dans cette végétation marécageuse et herbeuse.

Plus loin une tour d'observation (site 2) donne un angle différent pour encore mieux visualiser les lieux. À noter que c'est sur ce deuxième site que s'observe le mieux le Moucherolle des saules et certains petits passereaux de marais.

Comme le Grèbe à bec bigarré, le Butor d'Amérique ainsi que le Grand Héron abondent à cet étang; vu que tous ont plutôt un chant assez lugubre, cela confère à cet endroit un caractère sinistre et assez mystérieux.

À noter que la Loutre de rivière et le Vison d'Amérique habitent aussi ce coin, et qu'il n'est pas rare de les voir en chasse.

Lac à-la-Truite
et ses Pygargues à tête blanche

Haliaeetus leucocephalus

Trajet de dernière minute, tel devrait être plutôt le titre. Avant la semaine du 23 juillet 2001, j'ignorais complètement l'existence de cet endroit. Mais grâce à «internet», et au site du groupe de discussions «ornitho-qc», et additionnant 1 + 1…

Comme j'aime à le dire souvent : «On peut aussi en apprendre beaucoup sur les oiseaux sans nécessairement toujours être sur le terrain à l'aventure, par monts et par vaux». En fouillant dans différents guides, je vois que l'on parle souvent de l'abondance des oiseaux à l'étang Stater mais jamais des pygargues et pour cause : le phénomène est nouveau depuis 1998 ou 1999 seulement et les guides ne sont pas toujours mis à jour.

Autre nouvelle apprise sur internet : le Club des Ornithologues de la Région de l'Amiante (CORA) est en train de finaliser le projet d'installer une tour de 10 mètres au Lac des Souches pour la nidification du Balbuzard pêcheur ; ce sera peut-être un Pygargue à tête blanche qui arrivera le premier…

Pour se rendre au site, il faut savoir qu'il se situe au sud-est de Plessisville, à une vingtaine de kilomètres et que les observations, règle générale, se font à partir de la route 265 entre l'étang et le Lac à-la-Truite.

Depuis 2 ans, ce sont de 5 à 7 individus qui fréquentent les lieux. Du fait que des immatures font partie du groupe, il se peut qu'ils

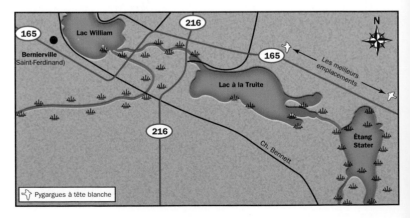

nichent dans le secteur, mais aucune preuve de nidification n'a par contre été rapportée jusqu'ici. Et croyez-moi, la région doit actuellement être scrutée à la loupe par plusieurs observateurs.

LE MARAIS
DE LA RIVIÈRE-AUX-CERISES
(CANTON MAGOG)

Petite découverte. Ce marais est peu connu des observateurs d'oiseaux. Ce site offre toutes les qualités requises pour abriter et attirer

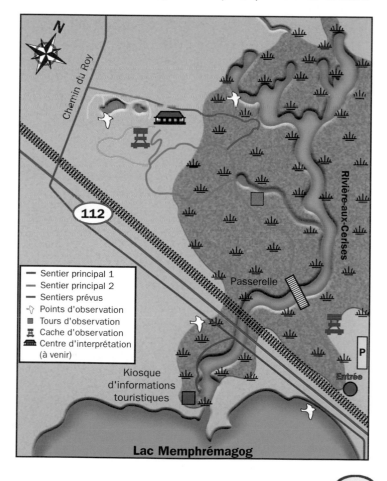

de nombreuses espèces animales.Il est traversé par la Rivière-aux-Cerises qui prend sa source dans le massif du mont Orford et se jette dans les eaux du lac Memphrémagog. Au cours de son cheminement long d'une dizaine de kilomètres tout au plus, la rivière alimentée par plusieurs sources d'eau, une profondeur maximale de 3 mètres est atteinte au sud-ouest du pont du Canadien Pacifique.

Le Marais de la Rivière-aux-Cerises couvre une superficie d'environ 150 hectares occupé par 55 % de marais et marécages, 20 % d'une forêt de feuillus, 10 % de rivière, 10 % de friche arbustive et 5 % de friche herbacée. Véritable interface entre les milieux terrestres et aquatiques, le marais constitue un écosystème extrêmement important. Comme dans tous les milieux humides, la vie sauvage y est très intense et de nombreuses espèces animales y naissent, vivent et assurent leur descendance. Plus d'une centaine d'espèces aviaires fréquente cet éden dont le Petit Blongios.

Pour mieux observer les oiseaux, la végétation et y admirer les beaux paysages qui s'offrent à nous, une tour d'observation et une cache sont installées. Près de 2.5 km de sentiers sont sur pilotis et 3 autres sont des sentiers secs agrémentés de nombreux nichoirs pour les Canards branchus. Une aire de repos avec des tables de pique-nique vous attendent aussi.

L'accès se fait par la route 112 du Canton Magog et un stationnement est disponible. L'entrée est libre.

Pour en savoir un peu plus. http://www.abacom.com/~lamrac/

Le mont mégantic
et sa Grive de Bicknell

Catharus bicknelli

La Grive de Bicknell est reconnue comme une espèce distincte seulement depuis le début des années 90. (Ce qui prouve que l'ornithologie est une science d'une certaine rigueur). Longtemps considérée comme une sous-espèce de la Grive à joues grises. Elle fut découverte au mont Slide dans les Caskills, à proximité de la ville de New York par Eugène P. Bicknell le 15 juin 1881. Par contre, il faut avouer que l'étude de l'oiseau ne débuta qu'en 1930 après 50 ans d'oubli.

Cette espèce de grive ne niche qu'à seulement 3 ou 4 endroits au Québec et dans des conditions assez particulières. Points communs sur les lieux de nidification : généralement au sommet d'une montagne et dans une forêt mature et mixte.

Plusieurs espèces nordiques nicheuses fréquentent le même endroit : le Pic à dos noir, le Mésangeai du Canada, le Moucherolle à ventre jaune, la Paruline rayée et la Grive à dos olive. Même si elle ne niche pas à cet endroit, il n'est pas rare d'y observer la Mésange à tête brune.

Pour l'accès, il s'agit du même que celui que l'on utilise pour se rendre à l'observatoire du Mont Mégantic. Il faut prendre la 212 au sud de Sherbrooke, jusqu'à Notre-Dame-des-Bois, ensuite prendre le chemin pour Val-Racine, mais seulement, après 3 kilomètres de route, il faut tourner à gauche vers l'observatoire qui se situe à 1,100 mètres d'altitude dans une végétation boréale. C'est aux alentours de la petite chapelle que la grive de Bricknell niche. Donc il faut prendre la petit route à mi-chemin à droite.

Et surtout n'oubliez pas d'aller jeter un coup d'oeil à partir de l'observatoire.

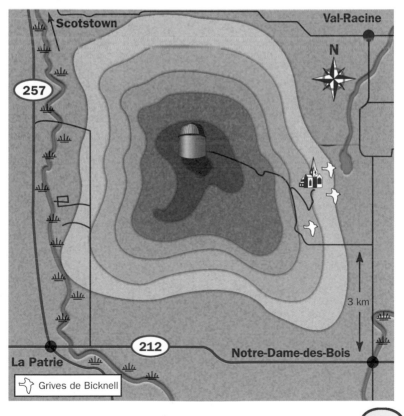

ABITIBI
GRANDEUR NATURE
Par André Lefebvre

Plus de 240 espèces d'oiseaux fréquentent ma région, l'Abitibi. Bienvenue dans mon royaume peuplé, entre autres, par la Grue du Canada, le Tétras à queue fine, la Paruline à gorge grise et le Bruant de Le Conte. Au départ de Val-d'Or, le trajet s'étend sur 120 km et comprend 9 sites.

SITE 1

L'ÉCOLE BUISSONNIÈRE ET LE GRAND PIC

Dubuisson, ma municipalité, c'est l'école Buissonnière ! Et le nom est exact ! On quitte Val-d'Or, direction Ouest sur la route des Explorateurs à gauche : Après la rivière Picher, on stationne à l'école, du côté gauche. Les deux sentiers, de chaque côté de la route, sont à visiter. Canards Illimités y a dénombré 105 espèces d'oiseaux à cet endroit, dont le Grand Pic. (Durée 3 h).

SITE 2

L'HYBRIDE DE VAL-D'OR

L'attrait est le centre-ville de Val-d'Or, soit le Belvédère et on y accède par le boulevard Sabourin (sud). Près de la tour, les sentiers abritent plusieurs espèces de passereaux dont la Paruline vermivore (parfois) et un hybride de Paruline masquée, la Paruline flamboyante qui est présente à cet endroit depuis quelques années. (Durée 2 h 30).

SITE 3

LES BÉCASSEAUX DU LAC BLOUIN

Pour les bécasseaux et la sauvagine rien de mieux que le quai du Lac Blouin qui se trouve au bout de la rue du Quai. (Durée 1 h 30).

SITE 4

VAL-SENNEVILLE ET LA GRUE DU CANADA

Val-Senneville et Grue du Canada vont de pair. Après le village, poursuivre sur 5 km ; à droite, on prend le chemin Paré qui conduit à des terres basses ; au bout, encore à droite, sur le chemin Beaulieu. Dans le premier champ, à gauche, on peut observer plusieurs représentants de la Grue du Canada, du Grand Héron et du Goglu des prés (note : ne pas mettre les pieds dans les champs, c'est privé). Bien regarder le fond de ces champs. Après s'être délecté, on tourne à 90° et, toujours sur le chemin Beaulieu, on dépasse l'intersection précédente pour enfin y observer la Chouette lapone à l'année, ou encore… la Grue du Canada. (Durée 3 h).

SITE 5

GARROTS ET BRUANTS

Retour à la route 397 et à droite sur 2 km. Ensuite, encore à droite sur le chemin Tenhave qui longe le ruisseau Béland. Des arrêts fréquents nous permettent d'observer des harles, garrots, butors et Bruant de Le Conte, sans oublier des Grues du Canada, une espèce qui décidément, aime l'Abitibi. (Durée 2 h).

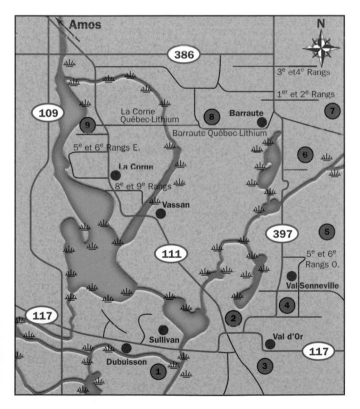

SITE 6

SAUVAGINE

Retour à la route 397, à droite, vers le nord, 2 km plus loin ; à gauche il y a le chemin du pont Carrier qui longe le ruisseau Senneville. De nombreux arrêts doivent être effectués afin d'observer la richesse aviaire ; sauvagine, pics, Martin-pêcheur, grives et viréos fréquentent cet endroit. (Durée 2 h).

SITE 7

BARRAUTE, HÔTE DU TÉTRAS À QUEUE FINE

Direction Barraute ! Direction Tétras à queue fine ! 18 km à faire. Tronçon de route riche en ruisseaux, champs en régénération et forêts de Pins Gris. Plus d'un millier de poteaux font aussi office de perchoirs pour les passereaux et rapaces. Rendu à Barraute, on tourne à droite (vers le nord) pour prendre le rang 1-2 Ouest. (Dépanneur Aurore sur le coin). Au bout du rang, des Tétras à queue fine fréquentent l'endroit, ainsi que des Grues du Canada. (Durée 2 h).

Note : Depuis les deux dernières années, à cet endroit, un couple particulier s'est formé, soit un mâle de Grue cendrée et une femelle de Grue du Canada : 2 jeunes les accompagnent, probablement leur progéniture. D'ailleurs ces 2 jeunes sont de plumage beaucoup plus foncé que celui des autres juvéniles de la bande.

SITE 8

LA ROUTE DE LA PARULINE À GORGE GRISE

Direction Paruline à gorge grise ! Il faut reprendre la route 397 et revenir pour prendre à notre droite la route 111 par la route Lacorne-Québec-Lithium ; 47 km à faire par un trajet sinueux. Montagnes, milieux ouverts et boisés. Boisés propices à la présence de Parulines à gorge grise et de Bruants de Le Conte. Boisés après boisés, de fréquents arrêts sont nécessaires pour maximiser nos chances de voir les deux espèces. (Durée 3 h).

SITE 9

SURPRISES AU MARAIS

C'est le retour vers Val-d'Or. À la route 111 on tourne sur la gauche, direction La Corne. Après 5 km, à droite où l'on peut faire de belles découvertes (canards, limicoles, etc.). (Durée 3 h).

LE MARAIS FISKE
ET SES GRÈBES JOUGRIS (ROUYN-NORANDA)
Podiceps grisegena

À près de 1 kilomètre à l'est de Rouyn-Noranda même, niche le Grèbe jougris. Canards Illimités y a aménagé un barrage : ce qui a grandement amélioré le milieu. Des râles, des Foulques d'Amérique fréquentent aussi l'endroit toute la saison estivale.

La végétation se compose de saules, carex et une grande zone marécageuse domine l'endroit. Le marais est dense et formé par des espèces émergentes robustes comme la quenouille et la calamagrostis du Canada.

Il est à noter que ce marais se trouve sur une propriété privée. Donc ne pas accéder au site sans la permission des propriétaires ; d'ailleurs ils sont très complaisants à cet égard et un stationnement est prévu à cet effet.

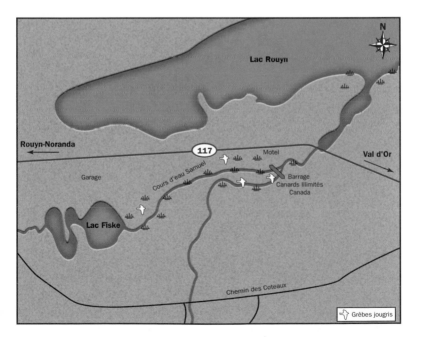

BARRAUTE
ET SES GRUES DU CANADA

Grus canadensis

D'accord je vais vous dire où elles sont ces grues! À Barraute, dans un champ. J'ai l'impression que ma réponse est incomplète. La description de ce trajet n'était pas prévue du fait qu'il y a déjà un trajet sur l'Abitibi un peu plus loin dans ce répertoire. Mais suite à une demande d'un ami, voici donc le secret.

Un peu au nord de Val-d'Or, à Barraute plus précisément sur les 1er et 2ième rangs, et si elles n'y sont pas, c'est qu'elles ont tout simplement traversé le boisé et sont rendues sur les 3ième et 4ième rangs. Et c'est de fin juin au début de septembre qu'elles sont le plus actives.

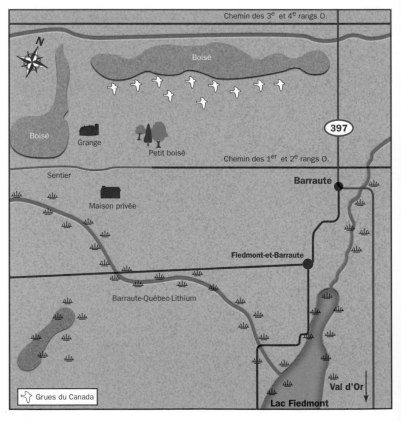

PETITE HISTOIRE D'OISEAUX (OU DE PÊCHE).

Pour débuter, Il n'est pas toujours facile de les apercevoir et ce pour plusieurs raisons. Vous pourriez être dérangé par une nuée de Goglus des prés qui semblent avoir aussi adoptés le territoire. Il y a aussi ces quelques Bruants de le Conte qui sont plutôt nocturnes et qui n'aiment pas nécessairement être perturbés le jour. Ils pourraient vous houspiller sans relâche et vous faire regretter votre visite. Ah oui ! j'oubliais, il y a aussi les fameux Tétras à queue fine qui normalement sont présents très tôt le matin dans le sentier au bout du rang. Ne vous laissez surtout pas déranger par ces oiseaux et concentrez-vous sur les Grues du Canada, après tout c'est pour elles que vous êtes-là.

MONTMAGNY
ET SA RÉGION
LA CÔTE DU SUD À VOL D'OISEAUX

Le vent du printemps amène avec lui le doux chant des oiseaux et décore les arbres des couleurs vives des oiseaux de chez nous. Ce passage migratoire ne laisse personne indifférent.

Pourquoi la Côte-du-Sud ? La région est riche, de par la variété de ses habitats et qui attirent près de 250 espèces d'oiseaux. Si je vous invite à faire ce voyage sur le dos d'une grande Oie des neiges, voici le coup d'oeil que vous avez à vol d'oiseau, du Nord vers le Sud. D'abord, les vingt-et-une îles de l'archipel avec leurs battures, ensuite le fleuve, les camps, les érablières, les vergers, la montagne, puis les boisés de conifères. Le secret est dans la variété des habitats de la région. De votre jardin à la cour de ferme, la faune aviaire y est bien présente, et ce, malgré notre entêtement à ne plus voir les oiseaux. La région bénéfice d'une grande variété d'habitats pour l'avifaune. Pour les grandes Oies des neiges, les champs ne sont pas des champs mais des prairies débordantes de nourriture.

Où allez pour les voir ? Variété d'habitats égale variété d'oiseaux. Mais où peut-on aller observer les oiseaux sans devenir l'intrus d'une terre privée et sans s'enfoncer dans des sentiers inhospitaliés ? L'hiver, votre marche en raquettes pourrait être accompagnée du chant des oiseaux. En outre, on peut jumeler l'ornithologie à presque tous les passe-temps de plein air. Par exemple la **Rivière du Sud** et le **Bras Saint-Nicolas** se prêtent bien au canot-ornithologie. Les oiseaux y sont très présents et le paysage est à couper le souffle. D'ailleurs les amateurs de canot savent qu'il est facile d'approcher les oiseaux à courte distance. Plusieurs sites vous assureront de belles observations, tels que le **Quai de Montmagny.** À partir du quai, vous pourrez scruter le bassin de la rivière du sud où la rivière rejoint le fleuve. À marée basse, au mois d'août, vous pourrez y observer de grandes bandes de limicoles de toutes sortes. L'automne, le quai qui borde le refuge d'oiseaux migrateurs devient l'un des endroits idéals au Québec pour observer les grandes Oies des neiges à courte distance (à marée haute).

La route des pommiers à Cap-Saint-Ignace est une petite route de pénétration idéale pour la pratique du vélo et c'est l'endroit par excellence pour y observer le Merlebleu de l'Est. La présence de ce bel oiseau dans ce secteur s'explique non seulement par la présence de son habitat, mais aussi par les efforts sans relâche des gens de la paroisse qui installent et supervisent des nichoirs.

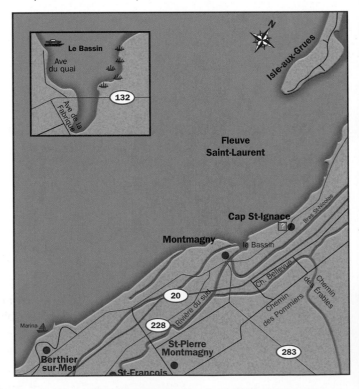

La halte routière de Cap-Saint-Ignace, basée près d'un refuge d'oiseaux migrateurs, elle offre le plaisir d'observer, à partir du vieux quai, les oiseaux du large.

La marina de Berthier se prête bien à l'observation des oiseaux de rivage. Les canards y sont présents à l'automne, et l'été c'est un bon endroit pour observer des limicoles, spécialement à mi-marée.

Les municipalités de Saint-Pierre et Saint-François sont de bons endroits d'observation d'oiseaux de proie. Si vous sillonnez les rangs bordés de champs de ces localités, vous ne manquerez pas d'observer des buses planant au-dessus de la prairie. L'habitat où naissent le plus grand nombre d'espèces dans la région est sans contredit le marais. La région est d'ailleurs choyée car l'organisme international Canards Illimités a créé dans la région cinq marais dont un en ville, soit celui de **Montmagny** près des jardins communautaires. On y accède par l'avenue du quai. On peut y observer les canards barboteurs, comme la Sarcelle à ailes bleues et celle d'hiver, ainsi que quelques canards plongeurs, spécialement à partir de la mi-septembre. À coup sûr vous verrez la Galinule poule d'eau et le Grèbe à bec bigarré. Peut-être y entendrez-vous le Troglodyte des marais et plusieurs espèces de bruants.

Sur la pointe Est de l'**Île aux Grues** vous pourrez découvrir le plus grand marais sauvage au nord-est de l'Amérique du Nord. Cette batture de 55 hectares est inondée lors des grandes marées du printemps et de l'automne soit les plus hautes du Saint-Laurent. Plus de 210 espèces d'oiseaux sont observables à l'Île aux Grues dont certaines classées rares tel le Râle jaune. Le Hibou des marais est un oiseau que l'on observe le jour. Il est possible de le voir sur la route de 6 km qui sillonne la batture. L'île, par sa situation géographique, au mélange des eaux douces et salées, offre un potentiel aviaire encore à découvrir. Les grands vents amènent parfois à l'île des oiseaux provenant de destinations lointaines: tels que labbes ou encore le Fou de bassan.

Une toute nouvelle entreprise touristique, ORNITOUR, offre sur l'île même des tournées d'interprétation des oiseaux. Transport terrestre, prêt de jumelles et guides naturalistes sont à votre disposition. De plus, vous en apprendrez sur différents sujets, comme le patrimoine, l'histoire, l'architecture et la géographie de l'Île aux Grues. Pour plus d'informations au sujet de l'ornithologie dans la région, communiquez avec :

ORNITOUR au 418 241-5368

Jocelyn Landry

LA POCATIÈRE
ET SES BRUANTS DE NELSON

Ammodramus nelsoni

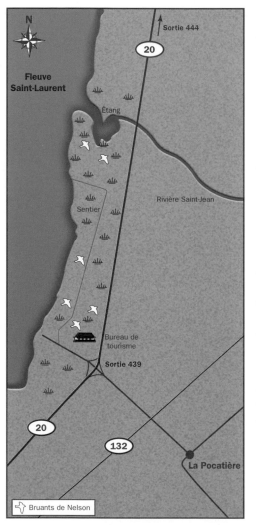

Fleuve Saint-Laurent

Étang

Sentier

Rivière Saint-Jean

Bureau de tourisme

Sortie 444

Sortie 439

La Pocatière

Bruants de Nelson

Il faut prendre la sortie 439 de l'autoroute 20, puis prendre la route qui conduit à la batture, direction nord.

Au bureau de tourisme, vous pouvez stationner en toute sécurité. De plus, café, sandwichs et toilettes sont disponibles.

À l'arrière de ce bureau, vous devez emprunter et parcourir le sentier. Les Bruants à queue aiguë fréquentent cet endroit de juin à août. Ils ne sont pas difficiles à trouver. Par contre, les meilleures heures restent tôt le matin ou à la fin de la journée.

Pour reconnaître son chant ou cri d'identification, on le compare facilement à un poêlon brûlant trempé dans l'eau (selon M. Normand David).

Si l'oiseau est absent à cet endroit, il vous faudra vous déplacer vers le petit étang à l'embouchure de la rivière Saint-Jean.

Pour ce faire, vous devez reprendre l'autoroute 20 et utiliser la sortie 444 pour prendre ensuite la petite route au nord de l'autoroute. Le Bruant à queue aiguë aime aussi fréquenter ce secteur. Cet étang reçoit d'ailleurs assez fréquemment, la visite du Phalarope de Wilson (surtout au printemps, à compter du mois de mai).

À l'embouchure de la rivière, au printemps et à l'été, de nombreux canards barboteurs et des oiseaux de rivage y habitent. À l'automne des limicoles viennent s'y reposer et refaire le plein d'énergie.

CACOUNA
ET SES GUILLEMOTS À MIROIR
Cepphus grylle

Un des endroits les plus importants du Bas-du-Fleuve. Ce lieu se divise en deux sections, le port et le parc, des clôtures délimitant le tout.

Pour la section du port, il est préférable de la visiter à marée haute. Par contre il faut être prudent. Aucun stationnement n'est prévu et les camions lourds y circulent en rois et maîtres. On doit absolument se garer le long du chemin. Dans l'anse, des garderies d'Eider à duvet s'observent ainsi que de nombreux limicoles repoussés par la marée. Souvent un Labbe parasite y poursuit des limicoles car pour lui « Point de franche lippée tout à la pointe du bec ». De nombreux fuligules de diverses espèces occupent le lac. Quelques barboteurs fréquentent aussi l'endroit. Pour les Guillemots à miroir, c'est vers le poste no. 6 qu'il faut se déplacer où plusieurs dizaines d'individus s'alimentent. À partir du poste no. 5 vous avez une excellente vue sur la falaise; cette section abrite plusieurs dizaines de Bihoreaux gris. Le jour il n'est par rare qu'un Pygargue à tête blanche survole ce lieu ou que tout autre rapace soit à l'affût pour un succulent repas.

Concernant l'autre section, le Parc de Cacouna, deux tours d'observations sont disponibles; l'endroit est très bien aménagé et des sentiers pédestres sont entretenus. Quant à la faune aviaire, elle est complètement différente de ce que l'on retrouve au port; de plus il n'y pas d'accès sur le fleuve; par contre les tourbières regorgent d'une faune très riche et variée. **Note :** les autorités prévoient à court terme créer un sentier pour donner accès au fleuve. Outre les nombreux petits passereaux et rapaces qui fréquentent Cacouna, il y a une espèce rare et fragile qui fréquente cet endroit, c'est le Râle jaune. Pour l'observer, c'est après le coucher du soleil que ça se passe. L'oiseau se retrouve dans la zone du parc au point d'observation no. 7 ; par contre, il est plus facile d'accéder à l'endroit en passant par le port. Observer cet oiseau ? Rien de certain et de plus il fait nuit quand il est actif. Par contre on l'entend très facilement ; c'est comme deux cailloux que l'on frappe l'un contre l'autre et si vous n'êtes pas seul, assurez-vous que ce n'est pas un autre observateur qui s'amuse à vos dépens.

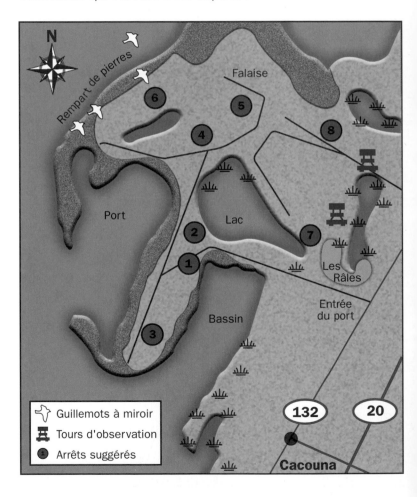

LA RÉSERVE NATIONALE DE FAUNE DE L'ISLE-VERTE
(BAS-SAINT-LAURENT)

Par Olivier Ménard

J'habite le Bas-Saint-Laurent depuis quelques années. Comme j'ai l'habitude de vouloir tout savoir ce qui se passe dans mon entourage, je m'y promène et m'informe de toutes les manières possibles. Cette passion pour la découverte des lieux est aussi jumelée à un amour pour la découverte de la faune aviaire qui m'entoure. C'est donc avec surprise que j'ai découvert, à 45 minutes de chez-moi, un lieu magnifique pour l'observation des oiseaux : la Réserve Nationale de faune de la baie de l'Isle-Verte. Située à l'est de Rivière-du-Loup, à 10 minutes de Cacouna, j'y ai découvert le dernier marais à Spartine du Québec méridional. Cette réserve, qui occupe une superficie de 427 hectares, marquée par la présence d'un climat froid et humide à influence maritime, s'étend sur près de 15 kilomètres d'un rivage marécageux baigné par les marées du Saint-Laurent. L'acquisition du territoire fut effectuée dans les années 70 et la réserve en 1980. Elle fut instaurée dans le but de contrer les projets d'urbanisation et de développement agricole qui aurait pu mettre en péril le marais de l'Isle-Verte, lieu d'importance pour le Canard noir qui était, à cette époque, en faible concentration et dont

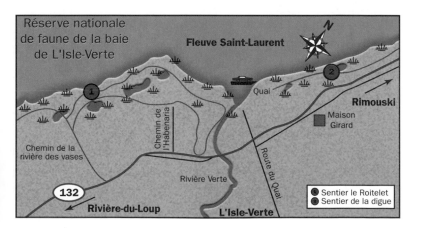

la population s'est stabilisée depuis. De plus, la réserve a été déclarée site Ramsar en 1987. Il s'agit d'une convention signée, en 1971, par 18 pays membres de l'O.N.U. Elle assure la protection et la conservation des milieux humides par la reconnaissance de ceux-ci en tant que site d'importance lors des migrations annuelles et ce à travers le monde. C'est un habitat privilégié pour la faune terrestre mais en particulier pour un grand nombre d'oiseaux et particulièrement d'oiseaux de rivages (Grand Chevalier, Maubèche des champs, héron, etc.). On y dénombre plus de 130 espèces qui utilisent le marécage troué de marelles, créé par le mouvement des glaces au printemps, afin d'y trouver leur nourriture (invertébrés, mollusques, épinoches, etc.) et une aire de repos favorable. Pendant l'été, au moins 60 espèces y nidifient. Lors des migrations printanières et automnales la réserve est prise d'assaut par plus de 45 000 oiseaux qui y trouvent l'abondance. En allant à la Maison Girard, site d'exposition de la réserve, j'y ai obtenu de plus amples renseignements sur les lieux et sur les oiseaux qui sont susceptibles d'être vus selon les saisons.

LE PARC DU BIC
ET SES GRIVES À DOS OLIVE

Catharus ustulatus

Une page! Ce sont plutôt dix pages qu'il faudrait pour décrire ce parc. Joyaux du Bas Saint-Laurent, il offre une diversité d'oiseaux des plus intéressante. C'est un endroit de prédilection pour les observateurs d'oiseaux. Il faut prévoir plus d'une journée pour visiter cet endroit et chaque saison apporte de nouveaux visiteurs aviaires.

La présence de marais salés et de nombreux îlots rocheux comptent parmi les éléments de base qui expliquent l'omniprésence des nombreuses espèces d'oiseaux.

En bordure du fleuve, le parc couvre aussi de nombreux îlots. Des visites sont d'ailleurs offertes à cet effet pour les découvrir.

La Grive à dos olive, qui niche dans ce parc, aime fréquenter le secteur du camping qui lui offre un habitat idéal composé d'essences variées de conifères. Elle est surtout active le matin et au crépuscule, c'est même l'espèce la plus omniprésente du secteur.

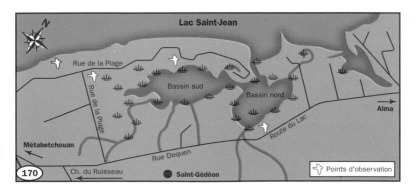

Juin est le mois où elle est le plus active, soit deux à trois semaines après son passage dans la région de Montréal.

La sonorité de son chant est facilement identifiable: il ressemble à un sifflement avec un léger écho, comme si vous faisiez ce chant dans une bouteille de boisson gazeuse... mais en mieux. Aussi elle emet un sifflement en spirale ascendante ; si l'on porte attention, on peut facilement faire la différence d'un individu à un autre.

LE MARAIS DE SAINT-GÉDÉON
(LAC SAINT-JEAN)

8 mai 1991. La Mouette rosée. C'est grâce à cet oiseau que j'ai découvert ce site ainsi qu'une nouvelle espèce.

Aller au Lac Saint-Jean sans faire un détour à cet endroit est un voyage incomplet. Plus de 200 espèces d'oiseaux visitent ce marais. Donc à ne pas négliger. À tous les ans des espèces rares et inusitées s'y présentent lors des migrations. Ce marais permanent est le plus vaste et le plus productif des marais bordant le Lac Saint-Jean. Bien protégé de l'érosion du lac par un cordon littoral de sable fin et d'ailleurs encerclé de dunes, il offre un gîte idéal pour plusieurs espèces d'oiseaux.

Comme à beaucoup d'autres endroits, les activités aviaires débutent à la mi-avril pour se terminer à la mi-novembre. Une tour d'observation et 2 belvédères sont maintenant installés. En 1991 rien de tout cela n'existait. Mais grâce à la sensibilisation de quelques personnes et à un partenariat de différents organismes, l'endroit est actuellement bien protégé et en plein essor pour recevoir les oiseaux et les observateurs. Terrain de chasse de premier choix pour certains prédateurs, il est courant d'y retrouver le Faucon pèlerin à la poursuite d'une quelconque sarcelle ainsi que son cousin le Faucon émerillon qui lui, s'intéresse surtout aux hirondelles et aux libellules. Busard des marais et Hibou des marais sont sont aussi souvent présents.

Au printemps quelques milliers de bernaches, de canards, d'hirondelles, de balbuzards, de sternes et rapaces y refont leur énergie. L'été le Petit Blongios et autres échassiers y séjournent, de nombreux passereaux y nichent ainsi qu'une colonie de Guifettes noires. L'automne c'est le passage des limicoles qui attirent les mordus de l'ornithologie à cet endroit. En 1991, la présence d'un bécasseau à queue pointue fût l'espèce vedette pour quelques jours

Pour accéder au marais il faut prendre la route 170 et ensuite emprunter le Chemin de la Plage au milieu du village.

Urubu à tête rouge

Cathartes aura

(de la même famille que le Condor des Andes ainsi que le Sarcoramphe roi) de plus en plus présent au Québec.

Et pour ceux qui veulent m'adopter voici mon menu :

Déjeuner : fruits et légumes.

Dîner : débris d'animaux morts en décomposition.

Souper : débris d'animaux morts en décomposition.

(surtout bien faisandés)

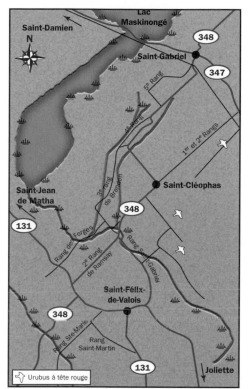

Le 12 avril 1977 mes arrières-grands-parents sont venus nous visiter pour une première fois, dans la région de Rigaud. Par la suite, année après année ils ont pris l'habitude de venir passer la saison estivale dans la région. Mes grands-parents sont nés sur les parois rocheuses, à gauche du Centre de ski du Mont-Rigaud. Moi aussi d'ailleurs, (Du moins j'aime le croire). Beaucoup d'individus de ma famille sont encore fidèles à cet endroit, et ce depuis près de 25 ans.

Préférant les grands espaces et les terrains

Région de Lanaudière

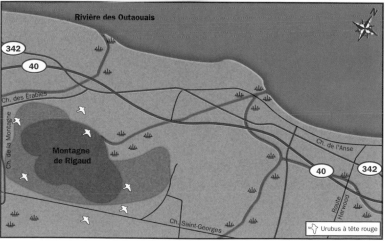

Région de Rigaud

plats, l'été je fréquente surtout la région de Lanaudière, mes parents se sont d'ailleurs rencontrés et connus dans cette région. (Probablement à cause des quelques fermes d'élevage de poulets). Non… Je ne chasse pas, mes serres ne me le permettent pas ; pas assez de puissance de ce côté. Ce sont plutôt les carcasses et abats de poulet qui m'attirent surtout quand ils sont bien faisandés, car voyez-vous c'est l'odorat qui me dirige vers ma pitance. Je ne chasse pas, je profite de ce que la nature m'offre. D'ailleurs si je n'ai pas de plumes sur la tête, c'est une question d'hygiène. Comme je dois souvent plonger la tête dans des endroits douteux et pas toujours recommandables, mieux vaut éviter le dépôt de certaines bactéries et c'est aussi plus aisé pour l'entretien.

Comme vous le constatez, pour mes cousins, « les Urubus de Rigaud », ce sont les grands thermales qu'ils aiment et pour ma famille, ce sont plutôt les délices du poulet… juste à point. Et ce, même si je dois à l'occasion partager mon paradis avec quelques Pygargues à tête blanche, qui ont souvent les mêmes goûts que moi. Et dire qu'il y a un pays qui a pris cet oiseau comme emblème aviaire.., il a peu de personnalité, il chasse peu, même qu'il adore les choses avariées (comme moi). Trêve de plaisanteries sur cet individu opportuniste et de mauvais goût.

Si un jour vous voulez venir me rendre visite moi et ma grande famille dans la région de Lanaudière ou encore mes cousins et cousines dans la région de Rigaud. Voici le parcours à suivre : vous prenez la route… *& ?%

Je vais faire mieux, voici 2 plans pour vous y rendre et n'ayez crainte, nous aimons parader. Surtout entre 10 h et 14h30.

CARTES DE VISITE POUR URUBUS

Pour la région de Lanaudière, un excellent guide est suggéré : À la découverte des oiseaux de Lanaudière par : Marcel Harnois et Claude Ducharme, édité par la *Société d'ornithologie de Lanaudière*.

De plus en plus de livres sont publiés et, règle générale ils sont de bonne qualité ; malheureusement, ils ne sont pas toujours bien classés. Certains sont des guides d'initiation et d'autres d'identification. Quelques-uns sont trop avancés pour un débutant mais très utiles pour en savoir un peu plus sur de nombreux sujets. Voici quelques suggestions :

GUIDES D'IDENTIFICATION

LE GUIDE DES OISEAUX DU QUÉBEC ET DE L'EST DE L'AMÉRIQUE DU NORD. 1999
Roger Tory Peterson (Éditions Broquet)
Celui-ci est LE manuel de base. Les textes sont descriptifs. Mais surtout des flèches indiquent les principales caractéristiques du plumage à surveiller pour mieux identifier l'espèce. De format idéal pour le terrain et d'une reliure très solide.

GUIDE D'IDENTIFICATION DES OISEAUX DE L'AMÉRIQUE DU NORD. 1988
National Geographic Society. (Éditions Broquet)
Une nouvelle édition avec 80 nouvelles espèces a vu le jour en mars 2002. Excellent guide, des plus complets. Une carte géographique de répartition de l'espèce est jointe pour chaque espèce représentée. Un peu lourd pour le terrain, mais aussi un incontournable.

LES OISEAUX DE L'EST DE L'AMÉRIQUE DU NORD. 1997, ÉDITION RÉVISÉE, 2000
Donald et Lillian Stokes (Éditions Broquet)
Autre excellent guide d'identification avec comme avantage de nombreuses photos au lieu de dessins. Par contre, comme point faible, le livre est un peu lourd et difficile à manipuler. Reste quand même un incontournable comme source de références.

LES OISEAUX AQUATIQUES DU QUÉBEC, DE L'ONTARIO ET DES MARITIMES. 1993
Marc Surprenant (Édition Michel Quintin)
Les 87 espèces les plus communes dans les milieux humides sont présentées. Belle occasion de se sensibiliser à cet habitat si précieux pour l'avifaune.

L'OBSERVATION DES OISEAUX AU QUÉBEC. (1980), Nouvelle édition 1994
Guy Huot (Édition Broquet)

Le premier guide de facture québécoise. Toujours populaire, une source de références pour tous, débutants ou plus expérimentés. Dans cette dernière édition on trouve plus de photos couleurs.

INITIATION À L'OBSERVATION DES OISEAUX. 1999
Michel Sokolik (Éditions de l'Homme)

Répertoire fondamental de 118 espèces d'oiseaux. Personnellement je considère ce livre comme un excellent manuel de base.

LE PETIT GUIDE PETERSON. 2000
Roger Tory Peterson (Éditions Broquet)

Ce petit guide est excellent pour les débutants. Il contient les 188 espèces d'oiseaux les plus présentes dans notre environnement. Un système de flèches indique quoi observer sur l'oiseau afin de faciliter son identification.

LES OISEAUX DU QUÉBEC, GUIDE D'INITIATION. 2000 Nouvelle édition 2001
Suzanne Brûlotte (Éditions Broquet)

Idéal pour les débutants. Les oiseaux sont même classés par grosseur : très original comme idée. L'auteur y décrit 169 espèces d'oiseaux faciles à observer. Génial comme présentation.

LE CANARD COLVERT. 1995
LE GEAI BLEU. 1995
LE GRAND HÉRON. 1995
LA MÉSANGE À TÊTE NOIRE. 1995
Suzanne Brûlotte (Éditions Broquet)

Idéal pour en savoir un peu plus.

LES OISEAUX FAMILIERS DU QUÉBEC. 2001
LES CANARDS ET LES OIES DU QUÉBEC. 2001
LES PARULINES DU QUÉBEC. 2001
LES OISEAUX DE PROIE DU QUÉBEC. 2002
LES OISEAUX D'EAU DU QUÉBEC. 2002
Suzanne Brûlotte (Éditions Broquet)

Cinq nouveaux titres. Très prolifique cette Suzanne Brûlotte, bel exemple de pédagogie envers les débutants.

OISEAUX DE MER. 1995
Peter Harrison (Éditions Broquet)

Cet ouvrage important de 450 pages s'adresse aux observateurs d'oiseaux, amateurs ou professionnels, et aux scientifiques. Le plus complet des livres concernant les oiseaux marins. Après consultation, les goélands vous fascineront à jamais.

GUIDE DES CANARDS, DES OIES ET DES CYGNES. 1995
S. Madge - H. Burn (Delachaux et Nestlé)
Le plus complet des guides d'identification sur les canards, oies et cygnes. Les planches indiquent les variantes de plumages entre les sexes et les saisons. Un incontournable.

LA BERNACHE DU CANADA. 1994
Kit Howard Breen (Éditions Broquet)
De toutes les espèces d'oiseaux du monde, aucune n'a autant d'admirateurs que la Bernache du Canada. Tous les amants de la nature sont invités à partager avec l'auteur son amour pour ce courageux migrateur.

MAGIE DU HUART. 1990
Kate Crowley et Mike Link (Éditions Broquet)
Le texte, d'une précision scientifique, et les photographies spectaculaires de Peter Roberts illustrent les rapports du huart avec sa famille, son environnement, les autres animaux et les humains.

LA VIE DES OISEAUX. 1999
David Attenborough (Éditions Trécarré)
Auteur bien connu, il nous introduit aux habitudes et aux comportements des oiseaux à travers le monde. Il nous présente de tout, dans ce livre : Apprendre à voler, se nourrir, communiquer, survivre…

POUR RÉFÉRENCES

Ce créneau de livres est plutôt un assortiment de volumes pour références des incontournables.

LES OISEAUX NICHEURS DU QUÉBEC. 1995
Jean Gauthier et Yves Aubry
(Les éditeurs sont : Association québécoise des groupes d'ornithologues. Société québécoise de protection des oiseaux. Service canadien de la faune, Environnement Canada, région du Québec.)
L'ouvrage le plus complet et le plus important réalisé au Québec en ornithologie. 1295 pages.

LISTE COMMENTÉE DES OISEAUX DU QUÉBEC. 1996
Normand David (Édité par l'Association Québécoise des groupes d'ornithologues du Québec)
Excellente source d'informations pour mieux connaître les populations aviaires ainsi que la fréquence de leurs visites. Surtout pour les espèces rares.

LES OISEAUX MENACÉS DU QUÉBEC. 1989
Michel Robert (Édité par L'Association québécoise des groupes d'ornithologues du Québec et Service canadien de la faune.)
Lors de sa parution en 1989 ce document déclencha une vague de sensibilisation pour notre faune aviaire. Voir la section internet du répertoire pour une dernière mise à jour des espèces menacées.

ATLAS SAISONNIER DES OISEAUX NICHEURS. 1995
André Cyr et Jacques Larivée. (Édité par les Presses de l'Université de Sherbrooke et Société de loisir ornithologique de l'Estrie.)
Idéal pour connaître les nidifications et les aires de répartition.

LES OISEAUX DU CANADA. 1989
W. Earl Godfrey / J.A. Crosby (Éditions Broquet et publié conjointement avec le Musée canadien de la Nature).
À mon humble avis ce volume de 652 pages est plutôt un livre de références.

ENCYCLOPÉDIE DES OISEAUX DU QUÉBEC. 1990
Earl Godfrey (Éditions de l'Homme)
Plaisant à consulter. Attention la reliure est très fragile par contre.

NICHOIRS ET MANGEOIRES

MANGEOIRES D'OISEAUX. 1995
Comment attirer, identifier et nourrir les oiseaux aux mangeoires. Donald et Lillian Stokes (Éditions Broquet)
Guide illustré sur les mangeoires, donne de nombreux trucs pour attirer des oiseaux à vos mangeoires et profiter de leur présence.

L'ALIMENTATION DES OISEAUX. 1997
Peter Lane (Éditions Broquet)
Il s'agit du manuel de base pour ceux et celles qui aiment la présence des oiseaux dans leur environnement. Unique en son genre, cet ouvrage fournit une foule de renseignements essentiels.

COMMENT NOURRIR LES OISEAUX D'AMÉRIQUE DU NORD.
1993 Robert Burton aux Éditions Trécarré.
Un guide très complet sur le sujet.

NICHOIRS D'OISEAUX. 1978
**Jean-Luc Grondin et Raymond Cayouette.
aux Éditions de la Société Zoologique de Québec.**
En plus des informations habituelles les illustrations de Jean-Luc Grondin sont des oeuvres d'art. À découvrir.

NICHOIRS D'OISEAUX. 1995
Comment attirer les oiseaux nicheurs.
Donald et Lilliane Stokes (Éditions Broquet)
Où, quand, comment installer vos nichoirs ? Quel diamètre faut-il donner à l'ouverture ? Voici, entre autres les questions auxquelles les auteurs répondent.

BRICOLER POUR LES OISEAUX. 2000
France et André Dion (Éditions de l'Homme)
Mangeoires, nichoirs... pourquoi ne pas les fabriquer vous même. Avec de superbes photos de Paul Favreau.

LES JARDINS FLEURIS D'OISEAUX. 1999
France et André Dion (Éditions de l'Homme)
Pour de bons résultats. Arbres et arbustes pour les oiseaux autour de la maison. Eau et lumière pour le jardin. Les résultats sont étonnants.

QUELQUES BELLES LECTURES

LE SILENCE DES OISEAUX. 2001
Michel Leboeuf (Éditions du Trait d'Union)
Enfin un roman, un polar dans le monde de l'ornithologie. Intrigues, rivalités, manipulation des médias sont au rendez-vous. Peut aider à comprendre le dossier de l'Île-des-Soeurs.

JEAN-LUC GRONDIN. 1992
Pierre Savignac (Éditions Broquet)
Un ouvrage superbe sur l'œuvre de ce grand peintre ornithologue.

PALETTE SAUVAGE D'AUDUBON. 1998
MOSAÏQUE D'OISEAUX.
David M. Lank (Éditions de l'Homme)
Pour le plaisir des yeux. Collection de gravures de John James Audubon.

LES OISEAUX EUX AUSSI LE FONT. 1997
Kit et Georges Harrison (Éditions Broquet)
Un couple reconnu mondialement pour la qualité de ses écrits sur la nature. Ils vous révèlent l'étonnante vérité concernant les techniques de séduction et les relations sexuelles des oiseaux. Attention : « Pour ceux qui ont aussi l'esprit ouvert ».

LUMIÈRE DES OISEAUX. 1992
Pierre Morency (Éditions Boréal)
Les oiseaux tiennent le premier rôle. Poésie empreinte de douceur et mystère. À posséder absolument dans sa bibliothèque.

GUIDE DES OISEAUX. 1999
André Dion (Éditions de l'Homme)
Un tour d'horizon saison par saison de nos amis ailés. S'avère de lecture agréable.

GUIDE DES OISEAUX DE L'AMÉRIQUE DU NORD. 1986
Chandler S. Robbins, Bertel Bruun et Herbert S. Zim (Éditions Broquet)
Malheureusement il est presque introuvable. Les stocks sont épuisés et l'éditeur ne précise pas vouloir le rééditer. Si par hasard vous en trouvez un, même usagé, achetez-le. Il s'utilise avec des sonogrammes, c'est un +.

CHARMANTS VOISINS, LES OISEAUX DU QUÉBEC. 1969
Claude Mélançon aux Éditions du Jour.
Recueil de notices biologiques et perception de 70 espèces d'oiseaux par l'auteur.

OBSERVER LES OISEAUX AU QUÉBEC. 1984
Normand David et Michel Gosselin (Éditions Presses de l'Université du Québec)
Très difficile à trouver, déjà une pièce de collection.

Sans me prendre pour un expert de l'internet, j'aimerais vous présenter quelques sites qui me semblent intéressants. Je sais qu'il ne s'agit que d'un survol et que plusieurs autres pourtant dignes d'intérêt sont probablement absents; la raison en est que je ne les ai pas encore découverts... Néanmoins avec plus de 500 adresses et si je calcule tous les liens s'y rapportant, j'ai l'impression que ces quelques milliers de sites vont vous tenir occupés pour de nombreuses heures de navigation.

Plusieurs sites présents sont de langue anglaise et parfois autres, du fait que ce sont des incontournables, je les ai inclus. De plus chaque adresse a été vérifiée afin de m'assurer de leur exactitude et m'assurer qu'elle soit toujours fonctionnelle. Mais comme tout va en accéléré sur internet, il se pourrait que certains sites soient déjà fermés pour une raison incontrôlable ou encore simplement déménagés. De plus, de nouveaux sites se construisent à tous les jours, donc dificile à suivre.

Pour me rejoindre vous pouvez le faire par courriel :
jppratte@sympatico.ca

CODE D'ÉTHIQUE POUR LES OBSERVATEURS
Association québécoise des groupes d'ornithologues:
http://www.ncf.ca/coo/Ethique.html

NOMENCLATURES
Liste complète des oiseaux du Québec :
http://www.oiseauxqc.org/listann.jsp
Liste mondiale des oiseaux :
http://membres.lycos.fr/listoiseauxmonde/
Nomenclature latin-anglais-français : The Breeding Birds of Southern Qc : Note - ancienne nomenclature française utilisée.
http://www.redpath-museum.mcgill.ca/Qbp/birds/birdfamilies.htm
Les familles d'oiseaux :
http://www.sepol.asso.fr/especes/familles.html
Passereaux - La liste ou les observateurs de passereaux (moineaux, pies,etc... des villes et jardins) se trouvent :
http://fr.groups.yahoo.com/group/passereaux/
Annuaire mondial sur les oiseaux : Birds links to the World :
http://www.bsc-eoc.org/links/ links
Birds of the World - University Cornell :
http://www.es.cornell.edu/winkler/botw/families.htm

RÉSULTATS D'OBSERVATIONS

Le miroiseur informé par Pierre Bannon :
http://pages.infinit.net/pbannon/index.htm
Les oiseaux rares du Québec :
http://pages.infinit.net/simardl/lesoiseauxraresduquebec.htm
Raretés ornithologiques au Québec (Photos) :
http://pages.infinit.net/monticol/Taxonomie.html
Distribution des oiseaux observés en 2002 au Québec : http://-
worldzone.net/international/lavalroy/distribution-province-2002.htm
Oiseaux observés au Québec par saison :
http://pages.infinit.net/cost/ois_sais.htm
Bilan de l'hiver 2001-2002 : http://www3.sympatico.ca/huart2000/
Les Oiseaux de la Région de Québec :
http://pages.globetrotter.net/acot/hotline-quebec/
Recensement des oiseaux de Noël à Longueuil :
http://www.geocities.com/colongueuil/cbc.html
Rivière du Loup - la liste des espèces par quadrat de 10 x 10 km:
http://www.qc.ec.gc.ca/faune/-
biodiv/fr/recherche/regions/html/q2653.html
Invasion de strigidés par Claude Nadeau :
http://www.geocities.com/nadeaucl/tableaunyct.htm
Migration hivernale de chouettes 2001-2002 :
http://www.geocities.com/huart/chouette_eperviere.html
Migration hivernale de Chouettes :
http://www.geocities.com/huart/migration.html
Arrivée des Hirondelles bicolores :
http://pages.infinit.net/hironbec/Bicolore2002.html
Arrivée des Hirondelles noires :
http://pages.infinit.net/hironbec/noirearrivee2002.html
Avocette d'Amérique :
http://www.geocities.com/coaslsj/avocette.html
Des Grives rares au Québec :
http://www.geocities.com/jaseurdunord/GRIVES/index.htm
Tangara vermillon à Roberval :
http://www.destination.ca/~mikee/harfang/tver/index.htm
Le Tohi tacheté à Ste-Hedwidge :
http://www.destination.ca/~mikee/harfang/tohi/index.htm
Noth American Rare Bird Alert : http://www.narba.org/
http://birdingonthe.net/hotmail.html
Bad photos of Goods Birds (photos d'oiseaux rares) :
http://birds.cornell.edu/crows/brdphoto.htm
Great Backyard Bird Count :
http://www.birdsource.org/gbbc/toc_page.html
The Virtual Birder:
http://www.virtualbirder.com/vbirder/realbirds/index.html
Baguage - USGS Patuxent Wildlife research Centre Banding

Laboratory : http://www.pwrc.usgs.gov/bbl/
The North American Breeding Bird Survey :
http://www.mbr.nbs.gov/bbs/bbs.html
Barge à queue noire : http://www.hmana.org/nybirds/picpg48.htm
Oiseaux de la Louisiane :
http://homeport.tcs.tulane.edu/~danny/labirds.html
Quelques oiseaux rares signalés au Costa-Rica :
http://www.angelfire.com/bc/gonebirding/news8.html
Les oiseaux rares d'Espagne : www.rarebirdspain.net
Migration en Irlande : http://www.bto.org/migwatch/index.htm

COMPLÉMENTS D' INFOS SUR LES OISEAUX
Le Manchot : http://perso.wanadoo.fr/geb/manchot.htm
Les Albatros aux Galapagos :
http://www.horizon.fr/galapagos/albatros.html
Albatros d'amsterdam : http://perso.infonie.fr/jlbmto/Albatros.htm
Grande Oie des neiges :
http://www.qc.ec.gc.ca/faune/ sauvagine/html/oies_des_neiges.html
Bernache du Canada :
http://home.pacifier.com/~mpatters/bird/cago.html
Garrot d'Islande :
http://www.qc.ec.gc.ca/faune/ sauvagine/html/garrot_dislande.html
Canard noir au Québec :
http://www.qc.ec.gc.ca/faune / sauvagine/html/canard_noir.html
Urubu à tête rouge : http://www.accutek.com/vulture
Le Flamant rose :
http://darwin.cyberscol.qc.ca/Expo/Zoo/Fiches/flamant.html
Les rapaces diurnes et nocturnes :
http://membres.lycos.fr/diurnesnocturnes/
Les rapaces :
http://www.eeb.cornell.edu/winkler/botw/accipitridae.html
Photos and information about of prey of North America :
http://www.buteo.com/l
The Raptor Center at Auburn University :
http://www.vetmed.auburn.edu/raptor/
Épervier brun : http://www.ggro.org/sharpie.html
Épervier brun : http://animaldiversity.ummz.umich.edu/-
accounts/accipiter/a._striatus$media.html
Épervier brun : http://www.mbr-pwrc.usgs.gov/id/framlst/i3320id.html
Épervier brun : http://www.imperial.cc.ca.us/birds/ss-hawk.htm
Faucon émerillon : http://www.fs.fed.us/htnf/merlin.htm
Les Jacanas : http://www.jacana.demon.co.uk
Les Goélands par Martin Reid :
http://www.martinreid.com/gullinx.htm
Oiseaux de mer du Saint-Laurent : http://www.qc.ec.gc.ca/-
faune/oiseaux_de_mer/oiseaux_de_mer.html
Ocean Wandered : http://www.oceanwanderers.com/

Strigops kakapo :
http://www.stuff.co.nz/inl/index/0,1008,1104043a11,FF.html
Hiboux du monde entier- Owls of the world :
http://www.owlpages.com/world_owls.html
Hiboux du Monde entier :
http://www.geocities.com/TheTropics/Cove/1927/
Les Hiboux du monde : http://www.owlpages.com/
Effraie des clochers : http://www.chez.com/chouettes/
Harfang des neiges : http://members.aol.com/filb41/harfang.htm
http://www.csdm.qc.ca/st-donat/5a_harfan.htm
Morphologie du harfang - Cyber-Zoo :
http://darwin.cyberscol.qc.ca/Expo/Zoo/Fiches/harfang.html
http://members.aol.com/filb41/harfang.htm
Colibris - Hummingbird : http://www.hummingbirds.net/
Merlebleu de l'Est :
http://www.destination.ca/~mikee/harfang/merlebleu/index.htm
Les Jaseurs : http://www3.sympatico.ca/l.thivierge/jaseur_am.html
Grive de Bicknell :
http://www.ns.ec.gc.ca/wildlife/bicknells_thrush/f/index.html
Grive mauvis: http://mrw.wallonie.be/dgrne/ong/refuges/turilii1.html
Les Mésanges :
http://www.birdsource.org/birds/chickadees/index.html
Les Hirondelles : http://pages.infinit.net/hironbec
Hirondelle noire : http://pages.infinit.net/prosubis/index.htm
Les Parulines : http://collections.ic.gc.ca/warblers/

SCIENCES

Oiseaux, une exposition virtuelle :
http://www.museevirtuel.ca/Exhibitions/Birds/Oiseaux/index.html
Banque de photos du gouvernemet fédéral :
http://www.cws-scf.ec.gc.ca/hww-fap/fre_ind.html
Interrogez la base de données sur les ZICO canadiennes :
http://www.bsc-eoc.org/iba/sitesZICO.html
Études d'Oiseaux Canada, Projet Feeder Watch :
http://www.bsc-eoc.org/national/pfwfr.html
Chrismas Bird Counts in Canada, Projet Feeder Watch :
http://www.bsc-eoc.org/national/cbcmain.html
Sondage sur l'éthique de la miroise :
http://www.iquebec.com/sougriwa/sondage_iquebec.htm
Institut de développement des connaissances sur l'orientation des oiseaux : http://perso.libertysurf.fr/pigeon/
Quand la vie ne tient qu'à l'hypothermie :
http://www.acfas.ca/concours/eureka98/hypothermie.html
Oies des neiges baguées au Québec :
http://membres.lycos.fr/nyoman/OiesBaguees/
Programme de parainage pour la Petite Nyctale :
http://ornitho.uqac.ca/nyctale/

Environnement Canada - Liste des oiseaux:
http://www.qc.ec.gc.ca/faune/faune/html/oiseaux.html
Environnement Canada - Harfang des neiges :
http://www.cws-scf.ec.gc.ca/hww-fap/owl/harfang.html
Musée virtuel du Canada :
http://www.museevirtuel.ca/ Exhibitions/Birds/
Musée Provincial de l'Alberta :
http://www.pma.edmonton.ab.ca/natural/birds/intro.htm
Les Oiseaux du Québec - Denis Lepage : http://www.oiseauxqc.org
Audubon's Bird'ds of America :
http://employeeweb.myxa.com/rrb/Audubon/
The Aviary : http://aviary.owls.com/index.html
The Avian Science and Conservation Centre ; McGill University :
http://www.nrs.mcgill.ca/ascc/
Northern Prairie Wildlife research Centre :
http://www.npwrc.usgs.gov/index.htm
Museum of Natural Science Louisiana State University :
http://www.museum.lsu.edu/~Remsen/LABIRDintro.html
Royal BC Museum : http://rbcm1.rbcm.gov.bc.ca/
Le monde de Darwin :
http://darwin.cyberscol.qc.ca/Expo/Zoo/Fiches/flamant.html
Australian Biodiversity : http://www.ea.gov.au/biodiversity/
Breeding bird research at the Institute of Nature Conservation:
http://www.instnat.be/Soorten/Broedvogels/atlas/Engels/index.htm
Étude sur le vol - The Lund Wind Tunnel :
http://orn-lab.ekol.lu.se/birdmigration/windtunnel/
Archives of Birdchat@listserv.Arizona.edu :
http://listserv.arizona.edu/archives/birdchat.html
ID Frontiers Archive : http://birdingonthe.net/FRID/fridarch.pl
Birdzilla ! Internet Birding Site : http://www.birdzilla.com/
Bird Source : http://www.birdsource.org/
Birding on the Net : http://BirdingOnThe.net/
eNatur.com : http://www.enature.com/
Cornell Lab of Ornithology : http://birds.cornell.edu/
World Birding News : http://Surfbirds.com/
Étude sur les migrations : http://whyfiles.org/083isotope/2.html
L'enyclopédie des oiseaux :
http://www.ledid.net/oiseaux/ornithopedia/anatomie_2.html
Le Centre de Recherches sur la Biologie des Populations d'Oiseaux :
http://www.mnhn.fr/mnhn/meo/crbpo/present.htm
Le Web de l'ornithologie française : http://www.ornithomedia.com/
Ornithologie - technique, Aérodynamique de l'aile :
http://seb.kepka.free.fr/aviplane.htm
Diomeda, Bureau d'Écologie Appliquée : http://www.diomedea.org/
Musée de Fribourg : http://www.fr.ch/mhn/

ESPÈCES MENACÉES

Association québécoise des groupes d'ornithologues:
http://www.aqgo.qc.ca/menaces2000.htm
Les Oiseaux menacés du Québec :
http://www.qc.ec.gc.ca/faune/oiseaux_menaces/html/indexf.html
Formulaires pour un suivi des sites de nidification des oiseaux menacés :
http://www.qc.ec.gc.ca/faune/formulaires/feuillet_inventaire.html
Comité sur la situation des espèces en péril au Canada :
http://www.cosewic.gc.ca
Espèces en péril du Gouvernement du Canada :
http://www.speciesatrisk.gc.ca/eep/accueil.htm
Les Brasseurs et la Rescousse : http://www.rescousse.org/qc/

ATTENTION DANGER

Maladies chez les oiseaux : http://birds.cornell.edu/pfw_fr/-
AboutBirdsandFeeding/DiseasedBirds.htm
Comment puis-je faire ma part? - Alerte aux oiseaux morts :
http://www.city.ottawa.on.ca/city_services/-
yourhealth/environmental/westnile_help_fr.shtml
Centre canadien coopératif de la santé de la faune :
http://wildlife.usask.ca/
Activité du virus West Nile : http://www.caducee.net/-
DossierSpecialises/infection/fievre-west-nile.asp
http://www.hc-sc.gc.ca/pphb-dgspsp/tmp-pmv/2000/wnv2000_f.html
Satunisme - Santé - Environnement :
http://www.univers-nature.com/dossiers/plomb/
Le Centre québécois sur la santé des animaux sauvages (CQSAS) :
http://www.medvet.umontreal.ca/CQSAS/default.htm
Les rapaces et l'électricité :
http://pages.infinit.net/clx/zap/zapped1.pdf
Les oiseaux et les vitres :
http://www.birdlife.ch/download-files/merkblaetter_f/vitres.pdf
6,000,000 oiseaux de trop ??? :
http://www.audubon.org/campaign/blackbird/index.html
France-liste des oiseaux chassables :
http://www.roc.asso.fr/chasse/especes_chassables.html

CONSERVATION, PROTECTION ET ENVIRONNEMENT

Zones importantes pour la conservation des oiseaux au Canada :
http://www.ibacanada.com/newsletter/QER.htm
Division de la conservation des oiseaux migrateurs - Service canadien de la faune : http://www.cws-
scf.ec.gc.ca/canbird/news/indexf.html
Commission de coopération environnementale de l'Amérique du Nord : http://www.cec.org/
Environnement Canada - Territoires protégés : http://www.
qc.ec.gc.ca/faune/faune/html/territoires_proteges.html

Institut national de recherche sur les eaux :
http://www.cciw.ca/nwri/nwri-f.html
La mosaïque nord-américaine :
http://www.cec.org/soe/index.cfm?varlan=francais
Dix parcs nationaux les plus menacés :
http://www.cnf.ca/media/mar_19_02f.html
Shell Canada-Fonds de l'environnement :
http://205.233.108.142/code/values/environment/sef_f.html
La sauvegarde du lac Leamy " SOS Leamy " :
http://www.sosleamy.ca/
http://www.sosleamy.ca/special.html
http://www.sosleamy.ca/invitation.html
Ministère de l'Environnement du Québec :
http://www.menv.gouv.qc.ca/
Les engagements internationaux du Québec : http://-
www.mri.gouv.qc.ca/la_bibliotheque/eau/engage_fr.html
Société linnéenne du Québec : http://ecoroute.uqcn.qc.ca/group/slq/
Milieux humides : http://ecoroute.uqcn.qc.ca/envir/mhum/index.html
Kitchener Waterloo Field Naturalists :
http://www.sentex.net/~tntcomm/kwfn/index.htm
Univers nature : http://www.universnature.com/index.html
Marais Poitevin : http://www.marais-deux-sevres.com/fr/
Planète environnement et Mer, l'écologie sur France Info :
http://www.radio-france.fr/chaines/info2000/-
chroniques/environnement/
Protection et droit animal : http://perso.wanadoo.fr/solis/
Université d'Anger - Gestion des Zones Humides :
http://www.univ-angers.fr/pagdiv.asp?ID=379&langue=1
Lega Italiana Protezione Uccelli : http://www.lipu.it/
Brézil et la forêt amazonienne : http://www.ens-
news.com/ens/may2000/2000l%2D05%2D18%2D03.html
La Chine - l'Empire du milieu :
http://ramsar.org/w.n.china_14newsites.htm
Seabird Conservation :
http://www.uct.ac.za/depts/stats/adu/seabirds/

ENDROITS À VISITER
La Société Duvetnor : http://www.duvetnor.com/
Excursion sur le Fleuve Saint-Laurent :
http://membres.lycos.fr/exaventu/
Société d'Écologie des Battures de Kamouraska :
http://ecoroute.uqcn.qc.ca/group/sebka/index.html
Les Marais du Nord du Lac Saint-Charles : http://pages.-
infinit.net/apel/Marais_Sentiers_pedestres.htm
Montmagny (Capitale de l'Oie blanche) :
http://www.montmagny.com/montmagny.html
Festival de l'oie blanche : http://www.festivaldeloie.qc.ca/

Chaudière-Apalache avec Ornitours :
http://membres.lycos.fr/ornitour/
L'Île aux Grues : http://www.isle-aux-grues.com/
Salon de l'ornithologie de l'Île aux Grues :
http://barbeau.vdl2.ca/Salon/index.html
Parc de l'Île Saint-Quintin : http://www.ile-st-quentin.qc.ca/
Les amis du marais de la Rivivère-aux-Cerises :
http://www.abacom.com/~lamrac/
Les îles du Saint-Laurent entre Longueuil et Contrecoeur :
http://www.geocities.com/fauneamenagement/INTRO
Mont Saint-Hilaire : www.centrenature.qc.ca
Les oiseaux du Mont Saint-Hilaire :
http://www.geocities.com/oiseauxsthilaire/
La faune du refuge d'oiseaux de Philipsburg :
http://membres.lycos.fr/tangara/
Réserve nationale de faune du lac Saint-François :
http://www.rocler.qc.ca/yletour/debut.htm
Saint-Michel-des-Saints-Lac Villiers :
http://www.fnv.org/index.html
Chez Grand-Mère Zoizeaux : http://www.zoizeaux.20m.com
14 Birdwatching sites in and around Montréal :
http://www.minet.ca/~pqspb/Pages/BirdingSites.html
Montréal et son réseau des parcs-nature :
http://www.cum.qc.ca/cum-fr/parc/coorparf.htm
Les oiseaux du Bois-de-L'Île-Bizard :
http://oiseauxaujardin.com/ilebizard/
Les oiseaux de l'île des Soeurs : http://pages.infinit.net/avids/
Abitibi - le marais Antoine :
http://ecoroute.uqcn.qc.ca/ envir/biodiversit/AgirMaraisFM98.html
Info-Nature d'Abitibi-Témiscamingue : http://infonature-at.com
**Saint-Fulgence-Centre d'Interprétation des Battures et de
Réhabilitation des Oiseaux :** http://www.geocities.com/cibrosf /
L'Observatoire d'Oiseaux de Tadoussac :
http://www.total.net/~jg/tadoussac/
Parc Nature de Pointe-aux-Outardes : http://www.virtuel.net/prpao/
Parc Régional de Pointe-aux-Outardes :
http://ecoroute.uqcn.qc.ca/group/outardes/index.html
Baie James : http://www.gcc.ca/Overview/tourism/kanio/tour3.htm
La Minganie : http://parkscanada.pch.gc.ca/mingan/f/index.html
Baie-du-Febvre : http://www.oies.com/
Les oiseaux des Bois-Francs :
http://www.csbf.qc.ca/assom/profs/5epat/oiseaux.html
De bons endroits au Canada - Québec :
http://birding.about.com/cs/placesquebec/index.htm
Voyages ornithologiques : Jean-Philippe PARIS :
http://www.chez.com/baladeornithologique/

Nature Travel Holidays : www.naturetravel.net
Échange de guide-animateur international :
http://BirdingPal.com/
Ornithologie - International : http://www.skof.se/lank/
Fat Birder - Worl Birding : http://www.fatbirder.com/links_geo/
Recherche international : http://www.birdlist.org/
http://www.birdtours.co.uk/tripreports/Portugal/
Afrique du Sud : http://www.zestforbirds.co.za
Djuma Game reserve : http://www.djuma.co.za/djuma/body.htm
Lotus Bird Lodge : http://www.cairns.aust.com/lotusbird/
La Belgique - Avifaune de Hesbaye :
http://mrw.wallonie.be/dgrne/ong/refuges/oiseaux.htm
Costa-Rica : http://www.naturesongs.com/costa.html
Visite à Cuba : http://www.horizontes.cu/francessitio.htm
Nicaragua : http://www.drbirds.com/
Birding in Louisiana :
http://www.virtualbirder.com/vbirder/realbirds/rbas/LA.html
SouthwesternLouisiana Birding :
http://losbird.org/swla/birdlocales.htm
http://www.naturestation.org/fauna/birds/home.htm
Louisiana Travel - Outdoors - Narure & Wildlife Birding :
http://www.louisianatravel.com/outdoors/nature_wildlife
/birding.html
Where to Watch Birs - Louisiana :
http://birding.about.com/cs/placeslouisiana/
Louisiane - les meilleurs endroits :
http://www.camacdonald.com/birding/uslousiana.htm
Birding Maine : http://www.birdingamerica.com/Maine/index.html
Birding The Americas :
http://www3.ns.sympatico.ca/maybank/main.htm
Birding America : http://www.birdingamerica.com/
Parc Ornithologique du Teich :
http://www.parc-ornithologique-du-teich.com/
À la découverte des oiseaux de France :
http://www.oiseaux-nature.com/
Les Oiseaux d'Outre-Mer : http://membres.lycos.fr/skua/
Observer les Oiseaux à Vincennes :
http://perso.club-internet.fr/dguillau/
La France par Jean Guy Papineau :
http://membres.lycos.fr/tangara/pages/france.htm
Guyane: http://kourou.cirad.fr/silvolab/html/lienguyane.html
Islande : http://www.fauna.is/index1.html
Kenya : http://www.kenyabirds.org.uk/
Madagascar - Berenty Reserve :
http://bibliofile.mc.duke.edu/gww/Berenty/index.html
Les oiseaux du Mexique :
http://siti.simplenet.com/musave.dir/htm.dir/filogene.htm

Nicaragua : http://www.uam.edu.ni/nicaragua/fauna.htm
Les oiseaux du Portugal : http://www.birding-in-portugal.com/
Portugal Hotspots :
http://www.camacdonald.com/birding/euportugal.htm
Sénégal : http://perso.wanadoo.fr/manjhamania/carreau.htm
Parc National Cat Then : htp://www.blakup.demon.nl/cat_tien/

MÉLI-MÉLO SUR LES OISEAUX

Les oiseaux de mon Patelin - Marc Auger :
http://www.9bit.qc.ca/~patelin/index.htm
Froufrou d'Ailes & Gazouillis - Francine Viau et Joanne Beaulieu :
http://www.iq.ca/lys/
David Christie's Page : http://personal.nbnet.nb.ca/maryspt/
Bienvenue chez Pic mineur - Aline Desjardins :
http://membres.lycos.fr/picmineur/Mesange.htm
Les liens de Bernard Hallée :
http://bernard.hallee.free.fr/oiseaux.html
Aux petits oiseaux - Gérard et Julie Martineau :
http://www.mlink.net/~ulysse/xa.html
Mes pages sur les Oiseaux de Sylvain Mathieu :
http://membres.lycos.fr/nyoman/
Claude Nadeau : http://pages.infinit.net/nadeaucl/
Les Oiseaux de mon Jardin-Jérôme Quinton :
http://membres.lycos.fr/jeromequinton/
Laval Roy - Passion Plume :
http://worldzone.net/international/lavalroy/
Les Oiseaux d'Iberville : http://membres.lycos.fr/nyoman/iberville/
Le chasseur de sites : http://www.destination.ca/~mikee/harfang/
Centre d'interprétation des oiseaux du Québec :
http://www.oiseaux.org/
Un oiseau sur la branche :
http://www.geocities.com/SiliconValley/Lab/3858/
Les oiseaux dans ma cour :
http://membres.lycos.fr/lgaliazzo/Lesoiseaux.html
Nature Illimitée : http://www.cam.org/~natil/
Japon et Asie : http://www.mcs.le.ac.uk/~ferjan/birds.html
Bird Life International : http://www.birdlife.org.uk/
Birding in the USA and Around the World : http://www.birding.com/
Îles et ailes : http://perso.wanadoo.fr/iles-et-ailes/
Alain Fossé - Digimages naturalistes :
http://membres.lycos.fr/digimages/
Gérard Joanes - Tourisme et ornithologie :
http://perso.wanadoo.fr/gerard.joannes/
Observer les oiseaux - Steph Web :
http://perso.wanadoo.fr/stephane.celerin/
Au Cormoran par Pierre Marchant :
http://wwwusers.imaginet.fr/~marchand/

Côté Nature - Jean Henri Fabre :
http://pdubois.free.fr/frame_index.html
Libérez la Limose franche : http://gods.free.fr/Limose.htm
Les nouvelles ornithologiques suisses et européennes :
http://ebn.unige.ch/ebn/ugebn.html
Les oiseaux et la loi à Ville Saint-Laurent :
http://er.uqam.ca/nobel/c3410/Banville18.html

DISCUSSIONS SUR LES OISEAUX

Groupe de discussion québécois :
http://www.endirect.qc.ca/mailman/listinfo/ornitho-qc
Le Groupe de discussions - Nouveau Brunswick :
http://personal.nbnet.nb.ca/maryspt/NNB.html
Carrefour des Jaseurs : http://www.geocities.com/ornithochat/
liste de discussion ornithologie :
http://ornithologie.free.fr/ornitho.htm
Natur'aute : http://fr.groups.yahoo.com/group/natur-naute/
Groupe de discussion sur l'Effraie des clochers :
http://groups.yahoo.com/group/thebarnowl/
Différents groupes de discusions à travers l'univers :
http://birdingonthe.net/birdmail.html

CHRONIQUES, ARTICLES ET NOUVELLES

Journal de Montréal - un oiseau de proie en Ville :
http://www.iquebec.com/sougriwa/fauconjournal.htm
René Lepage - Tout pour applaudir :
http://www.horticole.com/chronique/rl02.asp
Burn-out chez les oiseaux :
http://www.usherb.ca/liaison_vol35/16/liens/oiseau.htm
Faucon gerfaut - par Pierre Gingras : http://www.cyberpresse.
ca/reseau/hobbies/0202/hob_102020063036.html
Mésange bicolore - par Pierre Gingras : http://www.cyberpresse.ca/-
reseau/hobbies/0201/hob_102010058048.html
Télévision : www.radio-canada.ca/1888oiseaux
CBC News : http://cbc.ca/cgi-bin/templates/view.cgi?/-
news/2001/04/20/birdrisks_aa_010420
CBC News - Sur les traces des parulines :
http://www.cbc.ca/stories/2002/02/08/feather020208
Time.com - For the Birds : http://www.time.com/time/-
magazine/printout/ 0,8816,128118,00.html
Le Dronte rayé de la planète dans l'indifférence générale :
www.guardian.co.uk/Archive/Article/0,4273,4365506,00.html
Pic à bec ivoire :
http://www.zeiss.de/us/co/sports/bino/home.nsf/Contents-
FrameJ/5C0AD768B4EAD45D85256AFB0077927B
Angleterre - le moineau :
http://www.ananova.com/yournews/story/sm_520673.html

The Nando Times : http://www.nandotimes.com/-
healthscience/story/177445p-1706977c.html
Science Update - Geai bleu :
http://www.nature.com/nsu/011122/011122-13.html
University of Cambridge - Geai bleu :
http://www.admin.cam.ac.uk/news/stories/2001112201.html
Le kiwi, un emblème à l'œuf plus gros que le ventre :
http://www.lemonde.fr/article/0,5987,3238--245932,00.htm
Manchot empereur :
http://www.lemonde.fr/article/0,5987,3238--256408-,00.html
Le Monde - ADN du Grand Pingouin :
www.lemonde.fr/article/0,5987,3244--267254-,00.html
Bernache cravant :
http://www.lemonde.fr/rech_art/0,5987,155329,00.html
Faucon pèlerin :
http://www.lemonde.fr/article/0,5987,3238--150215-,00.html
La Perdrix bartavelle, interdite d'union illégitime :
http://www.lemonde.fr/rech_art/0,5987,229471,00.html
Le Dronte : www.lemonde.fr/article/0,5987,3238--262161-,00.html
La Chevêche d'Athéna, Mascotte d'une nouvelle économie rurale :
http://www.lemonde.fr/rech_art/0,5987,162954,00.html
La Presse - Harfang - Pierre Gingras : http://www.cyberpresse.ca/-
reseau/hobbies/0201/hob_102010058048.html
La Presse - Pierre Gingras : http://www.cyberpresse.ca/-
reseau/hobbies/0112/hob_101120047839.html
L'Hirondelle fait de moins en moins le printemps :
www.lemonde.fr/article/0,5987,3238--265040-,00.html
Geai bleu : www.lemonde.fr/article/0,5987,3238--268031-,00.html
Balade d'un iceberg :
http://www.lemonde.fr/article/0,5987,3244--256643-,00.html
**Le Monde - Les conseils régionaux pourraient gérer
les réserves naturelles :**
http://www.lemonde.fr/article/0,5987,3228--257149-,00.html
Le Monde - La Sologne aura peut-être son parc naturel régional :
http://www.lemonde.fr/article/0,5987,3228--260546-,00.html
Le Monde - Cabinet des curiosités naturelles d'Albertus Seba :
http://www.lemonde.fr/rech_art/0,5987,253611,00.html
Le Monde - Le "Thesaurus" :
http://www.lemonde.fr/rech_art/0,5987,253612,00.html
Le Monde - Goéland argenté menacé et sauvé par son opportuniste:
http://www.lemonde.fr/article/0,5987,3238--269916-,00.html

CHANTS D'OISEAUX
Les oiseaux du Québec :
http://www.geocities.com/Heartland/Pointe/9330/
Bird Song Central - Birding By Ear :
http://www.virtualbirder.com/bbestu/index.html

Nature song Digital Recording from Nature :
http://www.naturesongs.com/
Chants d'oiseaux du Brésil :
http://www.mma.gov.br/frances/cgmi/contoave/canto.html
Réveil des oiseaux de Olivier Messiaen :
http://perso.wanadoo.fr/p.dubois/oiseaux/
Songs and calls of some New York State birds :
http://www2.math.sunysb.edu/~tony/birds/
North American Bird Sounds :
http://www.naturesongs.com/birds.html
Chants d'oiseaux de Greg Kunkel's : http://ourworld.compuserve.-
com/homepages/G_Kunkel/homepage.htm
Guide to Animal Sounds on the net :
http://members.tripod.com/Thryomanes/BirdSounds2.html
Université Cornell, laboratoire d'ornitholgie :
http://birds.cornell.edu/lab_cds.html

QUELQUES DÉFIS

Défis de QuébecOiseaux par Michel Bertrand :
http://www.quebecoiseaux.qc.ca/HTML/Defi.html
Goéland mystérieux en Ohio :
http://members.self-serv.net/hawkowl/HuronGull.html
A quel oiseau appartient cette plume :
http://perso.club-internet.fr/jpmaist/plumesq.htm

PHOTOS D'OISEAUX

Reproduction de photos - Environnement Canada :
http://www.cws-scf.ec.gc.ca/es/photo_f.html
Pour protéger vos photos sur le WEB : http://www.digimarc.com
Pout afficher vos photos : http://www.webshots.com/homepage.html
La photographie grandeur Nature : www.natys.net
http://membres.lycos.fr/nyctalc/
Photos de Samuel Belleau :
http://www.geocities.com/huart/photo.html
Photos de Paul Favreau : http://pages.infinit.net/pfavreau/
Photogrphie de la nature - Régis Fortin : http://natureimages.net
http://www3.sympatico.ca/regisf/
Oiseaux en liberté - Alain Hogues :
http://www.oiseaux.ca/francais.htm
Erik Lamontagne : http://www.borealphoto.com/
Souvenirs d'Yves Leduc : http://www.digiscoping.ca/
Ma galerie d'art ornithologique Martin Morin :
http://pages.infinit.net/leboutte/galerie_ornitho.html
Quelques rapaces d'Europe :
http://www.orni.to/polystyle/html/faune/oiseaux.html
Photos d'oiseaux de l'Alsace :
http://perso.club-internet.fr/houpertl/oiseaux.htm

Photographie de la forêt de Compiègne, la faune, loise, les oiseaux, la picardie : http://members.aol.com/ysalaun/index.htm

Digiscoping & Digital Birding : http://www.md.ucl.ac.be/peca/test/a.html

Nature Photographers Online Magazine - Nature Photography, Wildlife Photography and Photo Instruction: http://www.naturephotographers.net/

Fotos-online : http://fotos-online.de/english/inhalt/t2.htm

Digiscoped Bird Photographs of Manitoba by Ann Cook : http://www3.mb.sympatico.ca/~acook/

Don Desjardin's Birds : http://www.camacdonald.com/birding/DesJardin/index.htm

Randy L. Emmitt : http://www.rlephoto.com/index.html

Photographs of Birds by Douglas Herr : http://www.wildlightphoto.com/birds/

Doreen' s Site - Doreen Hugues : http://www3.sympatico.ca/doreenh/

Homepage - Ruud and Kitty Kampf : http://www.rekel.nl/

Greg Lasley Photography - wildlife images : http://home.earthlink.net/~glasley/

North American Bird Photography - Gallery Peter LaTourrette : http://www.birdphotography.com/

Birds as Art - Arthur Morris : http://www.birdsasart.com/

Bill Scholtz : http://scholtz.org/bill/nature/

Common Loon information & Nature / Wildlife Photography - Greg Nelson : http://www.gmnphotography.com/

Bird Photography Tips - Scott Fairbairn and John Reaume : http://www.web-nat.com/bic/ont/tips16.html

Bird Hand Book - Victor Schrager : http://www.photoarts.com/gallery/schrager/html/gallery.html

Welcome to Photo Gallery - M. Taylor & Christopher H. Taylor: http://www.tsuru-bird.net/arizona/

Index of Rocky Turcotte : http://rockyturcotte.tripod.ca/

Harold Wilion Photography : http://home.earthlink.net/~h111/Pages/birds.html

Faucon émerillon : http://www.montanaphotos.com/ThePhotoAlbum/merlin.html

Harfang des neiges - Guy Germain : http://pages.globetrotter.net/g-germain/harfang.htm

Harfang des neiges - Diane Castenet : http://www.diaph.org/galerie/faune/harfang.htm

Colibris : http://members.tripod.com/~phaedrus64/Hummingbirds.html

Merle noir : http://www.fr.ch/mhn/images/merle.jpg

Tohi à queue verte : http://stubird.dreamhost.com/GTTO11Jan02B.jpg

PEINTURE

Gisèle Benoit : http://www.giselebenoit.com/
Marie-Anne Christen : http://www.cma-graphic.com/
Peintures de Guy Coheleach : http://www.guysart.com
Robert M. Deschênes : http://membres.lycos.fr/rdeschenes/
Jean-Luc Grondin : http://www.artandnature.com/grondin.html
Clodin Roy : http://worldzone.net/international/lavalroy/clodin.htm
Gérald Trudel : http://www3.sympatico.ca/gerald.trudel/index.htm

SCULPTURE

Association des Sculpteurs du Chemin du Roy :
http://www3.sympatico.ca/ascr/ascr.html
Stéfane Bougie : http://www.bougie.rocler.com/oiseaudec.htm
Jean Claude Dubreuil : http://www3.sympatico.ca/jc.dub/
Pat Godin : http://www.godinart.com./
Jean-Michel Lecat : http://membres.lycos.fr/jmblette/
André Leclerc : http://pages.infinit.net/jfp/leclerc/
Linda Shaw :
http://www.reactionpromotions.com/qmifr/html/snow_owl.html

POUR LA BIBLIOTHÈQUE

Les Éditions Broquet : http://www.broquet.qc.ca/
Québec Oiseaux : http://www.quebecoiseaux.qc.ca
Les oiseaux nicheurs du Québec : http://www.qc.ec.gc.ca/-
faune/faune/html/atlas_des_oiseaux.html
Atlas saisonnier des oiseaux du Québec :
http://callisto.si.usherb.ca/~biologie/cyr/atlas.htm
Le monde fascinant des oiseaux :
http://club-culture.com/lecture/fasci.htm
Bibliothèque de l'Université McGill : http://www.library.mcgill.ca/
Guide des oiseaux du Japon :
http://www.pensoft.net/authors/sonobek.stm
Lecture sur les oiseaux d'Asie et du Pacifique :
http://www.subbooks.demon.co.uk/asiaand.htm
Encyclopedia Smithsonian - Suggested publications on Birds :
http://www.si.edu/resource/faq/nmnh/birds.htm
Welcome to Bird Watcher's Digest :
http://www.birdwatchersdigest.com/
**Alibris - Books You Thought You'd Never Find / Used, Rare, and
Out-of-Print Books :** http://www.alibris.com/
Worldwitch - Birds Books Published by Cornell University Press :
http://worldtwitch.virtualave.net/cup.htm
**Kaufman Focus Guides: Birds of North America Before & After
Comparison: Greater Shearwater :** http://www.virtualbirder.com/-
vbirder/shelf/guides/kaufman/beforeafter1.html
National Geographic Field Guide and The Sibley Guide to Birds :
http://www.avisys.net/ngindex.htm

South Louisiana Bird Guide : http://www.jjaudubon.net/guide.htm
Peterson on line : http://www.petersononline.com/
Stokes Books :
http://www.twbookmark.com/features/stokesbooks/index.html
Lynx Edicion Home Page : http://www.hbw.com/
Birders Journal - The magazine for North American Birders :
http://www.birdersjournal.com/
Birds & Blooms : http://www.birdsandblooms.com/
Ibis Publishing : http://www.ibispub.com/index.html
Oryx la pagina del amante de la naturaleza :
http://www.weboryx.com/
Les Éditions Delachaux et Nestlé :
http://www.delachaux-niestle.com/dn/index.php3
La Recherche : http://www.larecherche.fr/
Gravures et livres rares :
http://www.livre-rare-book.com/Matieres/jd/5027.html
Le Guide Ornitho pour les 848 espèces d'Europe :
http://users.swing.be/eix/guidecorrige/guideo.htm
http://users.swing.be/eix/guidecorrige/nouvelle.htm
La Hulotte - le journal le plus lu dans les terriers :
www.lahulotte.fr
Libri di Natura :
http://web.tiscali.it/ebnitalia2/QB005/mezzatesta_rec.htm
http://web.tiscali.it/libridinatura/schede/zoologia.htm
Internet Bookshop Italia :
http://www.internetbookshop.it/hme/hmepge.asp

COMMERCES CONNEXES
Lire La Nature : http://www.lirelanature.com/
Le Centre de Conservation de la faune ailée :
http://pages.infinit.net/ccfa/index.htm
Les mangeoires Hironbec
http://pages.infinit.net/hironbec/
Ediscom - Art animalier : http://www.ediscom.qc.ca
Ghislain Caron, Robert Gérard , Pierre Leduc, Robert Gérard.
Galerie Archambault - Art animalier :
http://www.galerie-archambault.qc.ca
Gisèle Benoît, Pierre Girard, Joanne Ouellet, Claude Théberge.
Nature sur le Web : http://www.natys.com/fr/pages/fiche.php3
Claybank Design : www.claybankdesign.com
The Virtual Birder - North American Birding and Birds:
http://www.virtualbirder.com/
Galerie Archambault : http://www.galerie-archambault.qc.ca
Sébastien Bougie, Evelyn Saint-Georges, Georges Vincelli.
Héritage Artists : http://www.heritageartists.com/

OBSERVATIONS D'OISEAUX PAR CAMÉRA

Les Manchots du Biodome de Montréal :
http://www.montrealcam.com/fr-biodome.html
Faucon pélerin : http://birdcam.kodak.com
Pygargue à tête blanche : www.home.gci.net/~bluffcam/
View Nesting Birds : http://www.pitt.edu/~dziadosz/
Nid d'une Mésange bleue : www.mybitoftheplanet.com
Discovery : http://www.discovery.com/cams/bird/bird.html

SUIVIS SATELLITAIRE

Cigogne blanche : http://www.fr.ch/mhn/cigognes/default.htm
http://www.fr.ch/mhn/cigognes/cartes/Helene.gif
Milan royal : http://www.fr.ch/mhn/milan/default.htm
Harfang des neiges : http://www.ccrt.org/HTML/snowy_owl.html
Discussion sur les suivis satellitaires :
http://groups.yahoo.com/group/SatTelOrn/

POUR LE PLAISIR DES HOMMES

Environnement Canada - Nichoirs à Oiseaux :
http://www.cws-scf.ec.gc.ca/hww-fap/nestbox/nichoirs.html
Hironbec, nichoirs-mangeoires : http://pages.infinit.net/hironbec
Faites la cour aux oiseaux :
http://www.fondationdelafaune.qc.ca/html/Foiseaux.html
Plans de nichoirs : http://www.bcpl.net/~tross/by/house.html
Modèles de mangeoires - René Fortin :
http://planete.qc.ca/menard/fortin1.html
Modèle de Carole Gauron :
http://collections.ic.gc.ca/waic/cagaur/cagaur15_f.htm
Favoriser la présence des oiseaux : http://www.info-
ardenne.com/meilleurs/nature/oiseaux01.html
Abreuvoir hivernal d'oiseaux : http://www.geocities.
com/ ornithochat/images/abreuvoir_hivernal.html
Le nourrissage hivernal (bis) : http://perso.club-internet.fr/-
fdesjard/le_nourrissage_hivernal.htm
Les dangers du refuge : http://oiseaulibre.free.fr/Refuge/Dangers.html
Dissuadeur de parasites : http://www.petsafe.net/pdf/ssm.pdf
Le monde fascinant des oiseaux-mouches :
http://www.coq.qc.ca/info_oiseaux/colibri.htm
Volerie des Aigles : http://www.voleriedesaigles.com/

PHILATÉLIE

Rapaphila : http://www.rapaphila.com/index.htm
Le site des philatéliste francophones :
http://www.coppoweb.com/index.php3
PhilOiseau : http://perso.club-internet.fr/jaime/
Birds Of the World on Postage Stamps :
http://www.bird-stamps.org/

CINÉMA

Harry Potter : http://www.posternow.com/cgi-bin/poster_e/p_e.-pl?f=NR&c=4224&t=te_artik_l

Film : " Le peuple migrateur : www.peuplemigrateur.com

LE COIN DE LA RELÈVE

le coin Rafale: http://www.menv.gouv.qc.ca/jeunesse/index.htm

Brevet mondial de protection de la nature :
http://www.total.net/~jg/sol/brevet.htm

Recyclage - bricolage d'une mangeoire :
http://chezlorry.ca/Bricolages/Recycle/Mangeoire.htm

Oiseaux...Des belles photos par Catherine :
http://www.dromadaire.com/silverfraky/oiseaux

Le Flamant rose selon Amélie et Julie :
http://www.saint-donat.org/flamant/

Le Flamant rose - J-François Enond : http://perso.wanadoo.fr/jean-francois.enond/accueil/documentations/flamant/

Paris - Ornithologie urbaine -Frédéric Malher :
http://ourworld.compuserve.com/homepages/fredmalher/

Jardin de colibri rubis :
http://iquebec.ifrance.com/colibrirubis/

Les oiseaux du Canada : http://placours.tripod.ca/

Où trouve-t-on le Harfang des neige : http://www.radio-canada.ca/jeunesse/betes/express/oiseau/harfang.htm
http://www.chez.com/alain/harfangdesneiges.htm

Harfang des neiges - Annie Ribeiro :
http://www.chez.com/chouettemag/harfang.html

Bonne fête Québec : http://www.finfond.net/image/f158/f158set.htm

Le logiciel Nature : http://www.dataneat.org/

Étude sur les oiseaux :
http://www.epmuraz.vsnet.ch/oiseaux_sciences.htm

Histoire - Un pic pas piqué des vers :
http://www.geocities.com/Athens/Crete/2312/oeuf.htm

Contes et histoires : http://www.momes.net/listedhistoires.html

ASSOCIATIONS HORS QUÉBEC

The Federation of Alberta Naturalists : http://ebc.fanweb.ca/

Ontario - Pembroke Area Field Naturalists :
http://www.renc.igs.net/~cmichener/pafn.index.html

La Société Royale de Protection des Oiseaux :
http://www.rspb.org.uk/birdwatch/

Société Ornithologique de la Belgique : http://www.aves.be/

Société Audubon : http://www.audubon.org/

ABA - American Birding Association :
http://www.americanbirding.org/

Florida Ornithological Society : http://www.fosbirds.org/

Louisina Ornithologial Society :
http://www.losbird.org/hotline.htm
Purple Martin Conservation Association :
http://www.purplemartin.org/
Club Ornithologique Île-de-France :
http://perso.club-internet.fr/corif/
Ligue pour la Protection des Oiseaux (LPO) - Alsace :
http://www.orni.to/
Ligue pour la Protection des Oiseaux Anjou :
http://www.lpo-anjou.org/
Ligue pour la Protection des Oiseaux - délégatio Champagne Ardenne : http://perso.club-internet.fr/fdesjard/sommaire.htm
LPO Ligue pour la protection des oiseaux-Auvergne :
http://cf.yahoo.com/Sciences_et_technologies/Biologie/Zoologie/Animaux/Oiseaux/Ligue_pour_la_protection_des_oiseaux__LPO_/
Société pour l'Étude et la Protection des Oiseaux en Limousin :
http://www.sepol.asso.fr/
Centre de soins pour oiseaux sauvages du Lyonnais :
http://csosl.free.fr/
Groupe Ornithologique Normand : http://gonm.free.fr/
Association pour la Protection des Oiseaux Migrateurs .
http://www.vol-avec-les-oies.com/
ROC - préservation de la faune et défense des non-chasseurs :
http://www.roc.asso.fr/
Centre régional de Sauvegarde de la Faune Sauvage :
http://www.quicksoft.fr/crsfs/
Refuge des Sauvèdes :
http://perso.wanadoo.fr/refuge-des-sauvedes/
Le Pou d'Agouti : http://personal.nplus.gf/~pagouti/
Société Calédonienne d'Ornithologie : http://www.canl.nc/sco
Portugal : http://www.spea.pt/
Société suisse romande pour l'étude et la protection des oiseaux : http://www.nosoiseaux.ch

ASSOCIATIONS DIVERSES AU QUÉBEC
Association Québécoise Des Groupes d'Ornithologues :
http://www.aqgo.qc.ca
Société Québécoise de Protection des Oiseaux :
http://www.minet.ca/~pqspb/
La Société de Biologie de Montréal :
www.sbm.umontreal.ca
Club d'ornithologie d'Ahuntsic - Montréal :
http://pages.infinit.net/coa/
Club des ornithologues de l'Outaouais :
http://www.ncf.ca/coo/Region.html

Société Ornithologique du Centre du Québec :
http://www.geocities.com/socq/
Société d'observation de la faune ailée - Saint-Timothée :
http://www.citeweb.net/sofa/
Club des ornithologues amateurs du Saguenay /
Lac-St-Jean : http://www.geocities.com/coaslsj/
Société d'ornithologie de Lanaudière : http://www.total.net/~jg/sol/
Club d'Ornithologie de Longueuil :
http://www.geocities.com/colongueuil/
Club d'ornithologie de la région des moulins :
http://pages.infinit.net/cordem/
http://www.cam.org/~domisa/cordem/info.html
Club des ornithologues de Québec inc: http://www.coq.qc.ca/
Société de loisir ornithologique de l'Estrie :
http://www.sloe.net/
Club d'Ornithologie Sorel-Tracy : http://pages.infinit.net/cost/
Club Ornithologique des Hautes Laurentides :
http://membres.lycos.fr/lemoqueur/
Abitibi-Témiscamingue : http://www.infonature-at.com/
Club d'ornithologie de Mirabel :
http://pages.globetrotter.net/lapensee/
Club ornithologique Régional de Rigaud :
http://membres.lycos.fr/corrigaud/bienvenue.html
Nature Illimitée : http://www.cam.org/~natil/
Canards Illimités : http://vm.ducks.ca/index.html
Fondation de la Faune du Québec :
http://www.fondationdelafaune.qc.ca/
Union québécoise pour la conservation de la nature (UQCN) :
http://www.uqcn.qc.ca/
Faucon pèlerin - The Canadian Peregrine Foundation :
http://www.peregrine-foundation.ca
Association des amateurs d'hirondelles du Québec :
http://132.204.160.212/~dcampbel/aahq/
Services de réhabilitation d'oiseaux sauvage :
http://personal.nbnet.nb.ca/lderoche
Union Québécoise de Réhabilitation des Oiseaux de Proie :
http://www.cssh.qc.ca/projets/uqrop/
Fondation des oiseleurs du Québec :
http://www.oiseleurs.ca/
Association le Balbuzard :
http://membres.lycos.fr/acadicus/pages/acceuilpag.html

BIBLIOGRAPHIE

Bannon, Pierre. (1991).
Où et quand observer les oiseaux dans la région de Montréal.
Société québécoise de protection des oiseaux et Centre de
conservation de la faune ailée de Montréal.

Bird, David. (1999). The Bird Almanac. Éditeur : Key Porter Book.

Bourassa, Jean-Pierre. (2000). Le Moustique : par solidarité
écologique. Les Éditions du Boréal.

Brousseau, Pierre. (1996). Plus les gens en jettent, plus les goélands
en mangent… (Québec Oiseaux,vol.7,no 3).

Brûlotte Suzanne. (2000). Les oiseaux du Québec, guide d'initiation.
Éditions Broquet.

Byers, Clive. Curson, Jon. Olsson, Urban. (1995) Sparrows and
Buntings. Houghton Mifflin Company.

Clement, Peter. Harris, Alan and Davis, John. (1993). Finches &
Sparrows,
An identification Guide. Princeton University Press.

Curson, Jon. Quinn, David. Beadle, David. (1994). Warblers of the
Americas. An Identification Guide. Houghton Mifflin Company.

Cyr, Gérard. (1992). Guide des sites de la Côte-Nord. Club
d'ornithologie de la Manicouagan.

Darveau, M. David, N. Falardeau, G. Simard, C. Simard, R. (1988).
Guide d'identification des oiseaux de l'Amérique du Nord.
Traduction du National Geographic Society. Éditions Broquet.
Nouvelle Édition, 2002

David, Normand. (1990). Les meilleurs sites d'observation des
oiseaux au Québec. Québec Science, Éditeur.

Delacour, Jean. Norris,K,A. Rutgers,A. Legendre,M. (1966).
Encyclopédie de l'amateur d'oiseaux. Éditeur A.Rutgers.

Demers, Alain. (1999). Plaisirs d'hiver pas chers. Éditions du
Trécarré.

**Devillers, Pierre. Ouellet, Henri. Benito-Espinal, Édouard. Beudels,
Roseline. Cruon, Roger. David, Normand. Érard, Christian. Gosselin,
Michel et Seutin, Gilles. (1993).** Noms français des oiseaux du
monde. Éditions MultiMondes.

Dufresne, Camille. (1996). À la rescousse des chicots.
QuébecOiseaux, Volume 8, Numéro 1.

Gauthier, Jean. Aubry,Yves. (1995). Les Oiseaux nicheurs du Québec.
Édité par l'Association québécoise des groupes d'ornithologues, la Société québécoise de protection des oiseaux et le Service canadien de la faune, environnement Canada.

Girard, Sylvie. (1988). Itinéraire ornithologique de la Gaspésie.
Club des ornithologues de la Gaspésie.

Harnois, Marcel. Ducharme, Claude. (1997). À la découverte des Oiseaux de Lanaudière. Société d'ornithologie de Lanaudière.

Harrison, Kit et George. (1997). Les Oiseaux eux aussi le font !
Éditions Broquet.

Harrison, Peter. (1995). Oiseaux de mer. Guide d'identification.
Éditions Broquet.

Hayman, Peter. Marchant, John. Prater, Tony. (1986). Shorebirds, An Identification guide. Hougton Mifflin Company.

Huot, Guy. (1994). L'observation des oiseaux au Québec. Éditions Broquet.

Larouche, Ursula. Drapeau, Jean-Pierre. Desautels, Louise. (1992). Guide des milieux humides du Québec. Éditions Franc-Vert.

Leboeuf, Michel. (2001). Le Silence des Oiseaux. Éditions Trait d'Union.

Lefranc, Norbert. Worfolk, Tim. (1997). Shrikes, A Guide to the Shrikesof the World. Yale University Press, New Haven and London.

Lepage, D. (1993). L'Observation des Oiseaux en Estrie. Société de loisir ornithologique de l'Estrie inc.

Otis, Pierre. Messely, Louis. Talbot, Denis. (1993). Guide des sites ornithologiques de la grande région de Québec. Club des ornithologues de Québec.

Paquin, Jean. Caron, Ghislain. (1998). Guides Nature Quintin, Oiseaux du Québec et des maritimes. Éditions Michel Quintin.

Peterson, Roger Tory. (1999). Le guide des Oiseaux du Québec et de l'Est de l'Amérique du Nord. Éditions Broquet

Robert, Michel. (1989). Les oiseaux menacés du Québec.
Association Québécoise des Groupes d'Ornithologues.
Environnement Canada Service de la Faune.

Robbin, Chandler S. Bruun,Bertel et Zim,Herbert S. (1986). Guide des Oiseaux de l'Amérique du Nord. Éditions Broquet.

Savignac, Pierre. (1992) Jean-Luc Grondin. Éditions Broquet.

Simard, Claude. (1988). Pour le plaisir… Franc-Nord. Numéro Hors série no 2.

Sokolik, Michel. (1999). Initiation à l'observation des oiseaux. Éditions de l'Homme.

Stokes, Donald & Lillian. (1997). Guide des oiseaux de l'est de l'Amérique du Nord. Éditons Broquet.

Surprenant, Marc. (1993). Les oiseaux aquatiques du Québec, de l'Ontario et des maritimes. Éditions Michel Quintin.

Wheeler, Brian K. Clack, William S. (1996). A Photographic Guide to North American Raptors. Academic Press, Harcourt Brace & Company, Publisher.

Winkler, Hans. Christie, David A. and Nurney, David. (1995). Woodpeckers, an Identification Guide to the Woodpeckers of The World. Hougton Mifflin Company.